《登上健康快车》编委会名单

追求健康就是追求文明进步

全国人大常委会副委员长
北京女医师协会顾问

　　21世纪是一个大健康时代，人类将追求心理、生理、社会、环境的完全健康。中国正面临着第二次卫生革命的战略转折，生活水平迅速提高的中国百姓，在尽情享受现代文明成果的时候，"文明病"即生活方式病正日益流行，高血压、冠心病、糖尿病、肥胖症、癌症等疾病正严重地威胁着我们的健康与生命。据卫生部统计，脑血管病近几十年间有明显上升的趋势，每年新发生脑血管病200万，每年死于脑卒中者150万左右，其中3/4留有不同程度的残疾；冠心病患者死亡率最近8年在城市中升高了53.4％，这两种病症造成的各种经济损失接近1 000亿元人民币。

　　《北京晚报》"健康快车"专栏与北京市卫生局合作，从1995年迄今8年，已开出1 100多期"车厢"，举办了200余场健康大课堂，开展了几十次"健康广场"活动，切实为百姓健康服务，在百姓中产生了巨大反响。

"健康快车"以 21 世纪人类健康为本，推崇科学、公信权威，搭起了一座政府与百姓、专家与群众之间沟通的桥梁。这本书是"健康快车"的经典实录，是北京三位著名医学专家健康大课堂的精华，为群众讲授了最重要的保健知识和最新的健康观念，介绍了当代文明科学的生活方式，知识信息量大，道理深入浅出，形式生动活泼，为人民群众走上健康之路独辟蹊径，深受广大群众欢迎。

健康是人生最宝贵的财富之一，人们对心身健康的重视标志着社会的进步。无论是人类自身的发展、自我价值的实现，还是社会发展的参与和社会发展成果的享有，都必须以自身健康为前提，没有健康的心身一切无从谈起，也无法实现。这本书向人们呼吁文明进步的生活方式，让人们对健康的期望成为现实。追求健康就是追求文明进步。

2002 年 6 月 18 日

健康快车列车长的话

北京市卫生局局长　　　　　

在世界范围内，社会医学、卫生发展的理论与时俱进地变化着。20世纪50年代，在生物—心理—社会医学模式的影响下，人类的健康观产生了重大的变化；60年代，人们意识到健康应是人类的基本权利，人类在享受卫生服务方面应该得到公平的待遇，人类是发展的主体，发展的对象是人类；70年代，人类意识到卫生保健的发展有赖于社会经济的发展，而卫生保健的发展同时又促进社会经济的发展，即"社会医学关于健康与社会经济发展双向性作用的观点"；70年代末，理论和实践两方面证明，初级卫生保健是人人享有卫生保健的关键和基本途径；80年代初，人们意识到人人享有卫生保健不仅是卫生部门的事，而且是整个社会的奋斗目标；80年代中期，人们认识到要使"健康为人人"，必须"人人为健康"，人人贡献，人人参与，才能人人享有；80年代后期，世界卫生组织在总结全球初级卫生保健的经验后指出："人人享有卫生保健是全球永恒的目标，到了 21 世纪，我们仍要不断提高人人享有卫生保健的水平。"

在世界范围内，医学同样也是与时俱进地发展着。世界卫生组织按照医学的发展历程，把医学的发展依次排列为：临床医学、预防医学、康复医学、保健医学、自我保健医学。共和国的首都北京，卫生事业的发展可以说经历了一个全过程，并且富有成果，尽管还有很多很多的事业要不失时机地去做。这本《登上健康快车——讲课经典·健康行动》就是在这样一种广阔的背景下奉献给您的，它是展示，是表达，是祝福。展示的是我们已经达到的水平，并要努力使人民享有；表达的是一种理念——健康是金子；祝福的是为了共和国的过去、现在和美好明天而全身心奋斗的人们更健康。

值此，我还要感谢我的老朋友洪昭光教授、胡大一教授、向红丁教授，和像他们那样为了人们的健康担当责任和忘我奋斗的首都所有医务工作者，感谢《北京晚报》"健康快车"的开拓者与实践者关春芳、郭乡平、彭宁等同志，也向他们致以崇高的敬意。

2002 年 6 月 22 日

"健康快车" 座右铭

◆ 做 21 世纪的健康人——有力的心脏，聪慧的头脑，强健的体魄，充沛的精力，美好的心境，有序的生活。

◆ 合理膳食，适量运动，戒烟限酒，心理平衡，踏上健康四大基石。

◆ "一、二、三、四、五，红、黄、绿、白、黑"，拎起科学菜篮子，过好健康每一天。

◆ "养心八珍汤"让你诚实做人，认真做事，奉献社会，享受生活。

◆ 危害至少 1 亿中国人的心脑血管病，都源于动脉粥样硬化；知晓血压，还要知晓血脂、血糖，要驯服高血压、高血糖、高血脂三匹害群之马。

◆ 高脂血症不只是胖人的专利，也可以危害瘦人；投身血脂革命，总胆固醇每降 1%，冠心病危险度下降 2% 至 3%；高密度脂蛋白每升高 1 克／升，男、女性冠心病危险度分别下降 2%、3%。

◆ 快走、慢跑、游泳、骑车、爬楼、登山、跳舞、扭秧歌，大肌肉群与大关节持续耐力的运动，强度低、有节奏、不中断，就是增强人体吸入、输送、使用氧气的有氧代谢运动。

◆ 健康是金子，健康是快乐，人活百岁不是梦。

◆ 健康，你的权利、尊严与财富。追求健康就是追求文明进步。

40 岁以上的人要防变矮

京城涌动

全民健身潮

台阶试验，给你的心脏"打分"

健身是快乐

今天

35 岁以上的人都要测血压

今天测测肺活量，明天开始有氧锻炼

健康最重要

百姓健康大课堂，百听不厌，场场爆满

这就是

量身定做每个人的健康处方

展板入社区，健康进家门

风光无比的「健康快车」

北京市 18 个区县同时开设
健康广场，仅一次活动，
就发放宣传材料 10 万余册

面对面，一对一，咨询服务很个性

目录

洪昭光　让健康伴随您

健康生活新观念…………………………（ 3 ）

健康第一大基石——合理膳食……（ 19 ）

健康第二大基石——适量运动……（ 29 ）

健康第三大基石——戒烟限酒……（ 33 ）

健康第四大基石——心理平衡……（ 39 ）

健康"养心八珍汤"…………………（ 50 ）

胡大一　打造健康，从"心"开始，从"动"做起

构筑心血管疾病防治的广泛联盟…（ 61 ）

心血管病的五条防线………………（ 64 ）

有氧代谢运动改变你我……………（ 77 ）

有氧代谢塑造快乐人生……………（ 89 ）

谨防过度运动………………………（ 95 ）

有氧代谢快走为先…………………（ 97 ）

爬山——有氧代谢特别礼物………（100）

争取一切运动的机会………………（103）

向红丁　远离肥胖和糖尿病

肥胖是祸不是福……………………（107）

吃得多、活动少是肥胖的根………（118）

三"管"齐下，减肥有望…………（124）

风靡世界的自然减肥风…………………（129）

警钟：中国糖尿病正在暴发流行…（131）

糖尿病进行曲…………………………（137）

糖尿病预防的三个层次………………（142）

明明白白吃药，只选对的不选贵的…（150）

"健康快车"工作室　完全健康十大行动

行动一——吃一粒维生素…………（159）

行动二——学一项心理自测………（168）

行动三——做一种有氧代谢运动…（173）

行动四——测一次身体素质………（178）

行动五——做一套体检……………（183）

行动六——喝一杯牛奶……………（186）

行动七——测一个体质指数………（191）

行动八——打一针肺炎疫苗………（192）

行动九——服一粒钙片……………（195）

行动十——服一片阿司匹林………（198）

主讲　洪昭光

男，1939 年生，福建人。现任卫生部心血管病专家咨询委员会副主任，全国心血管病防治科研领导小组副组长，中国老年保健协会心血管病专家委员会主任委员，北京安贞医院干部保健科教授。

课题　让健康伴随您

 **健康生活新观念**

✚ 轻轻松松 100 岁
✚ 更应关心健康人
✚ 预防可减少一半死亡

　　按照世界卫生组织的定义：65 岁以前算中年人，65 岁至 74 岁算青年老年人，75 岁至 90 岁才真正算是老年人，90 岁至 120 岁算高龄老年人。那么，人的生理寿命应是多大岁数呢？

　　根据生物学的原理，哺乳动物的寿命是其生长期的 5 倍至 6 倍。人的生长期是用最后一颗牙齿长出来的时间 (20 至 25 岁) 来计算的，因此人的寿命最短 100 岁，最长 150 岁，**公认人的寿命正常应该是 120 岁**。0 至 60 岁是生命第一春天，播种耕耘、辛勤劳作；61 至 120 岁是生命第二春天，金色收获、温馨从容。那么人的一生应该怎么度过呢？在 120 岁当中，70 岁以前没有病，活到 80 ~ 90 岁也很健康，活到 100 岁健康不是梦。人人都应该健康 100 岁，这是正常的生物规律。可现在的情况呢？应该活到 120 岁却只有 70 岁，整整少活了 50 岁。本应该 70、80、90 岁很健康，可现在好多人 40 多岁就不健康，50 多岁患冠心病，60 多岁死了，也整整提前了 50 年得病。**提前得病、提前残废、提前死亡**成为当今社会普遍现象。据北京市调查，小学生有了肥胖、高血压，中学生有了脂肪肝、动脉硬化，这就是我们今天要讨论的问题所在。

为什么我们经济发展了，钱多了，物质生活水平提高了，有些人反而死得更快了呢？有人认为现在心脑血管病多，肿瘤、糖尿病多，都是因为经济发达了，生活富裕造成的。错了，完全错了。这些病并不是因为物质文明提高造成的，而是因为精神文明不足、健康知识缺乏产生的。

美国的经验表明：白人跟黑人相比，白人钱多，物质生活好，但是白人患高血压、冠心病、肿瘤的明显比黑人要少；美国白领阶层地位高，收入也高，可是他们中患疾病的人远远低于蓝领阶层，寿命也长。这说明什么呢？因为白领阶层受到较好的健康教育，精神文明、卫生知识、自我保健意识强。因此，现在我们得的病越来越多，并不是因为物质文明提高了，而是因为精神文明不足，一手硬一手软。如果我们提高卫生保健知识，那么我们可以在经济发达的同时更健康，而不是得病更多。所以要跟大家讲清楚的是，病越来越多绝不是物质文明提高了、收入多了、钱多了的缘故，而是因为卫生保健知识没跟上。

在这里重要的问题是教育。教育人们掌握健康生活方式的意义和作用极大。如上海市对一组 250 例心脑血管疾病的高危人群，进行了两年健康生活方式和行为指导，使心脑血管疾病并发症的发生率分别下降了 20% 与 18%。

北京曾实施了一个健康促进项目，对 7 种慢性非传染性疾病干预，对居民行为危险因素进行逐月监测和教育，包括吸烟、酗酒、不合理膳食、久坐、缺乏体育锻炼和身体超重等，范围达 2 284 个居委会、330 万人口。仅对其中 9 700 多名高血压患者的教育管理，一年就节约医疗费 100 多万元，使其治疗率提高到 90%，血压控制良好率达 58%。如果全市 200 万高血压患者都能受到这种教育指导，预计每年可减少医药费支出 2 亿多元，如果全国所有慢性病人……

俄罗斯在这方面的重视程度似乎可以借鉴。俄教育部长弗拉基米尔·菲利波夫称，为了加强素质教育，俄教育部最近制定了《在俄教育体系中加强德育的计划》，作为加强德育的重要措施之一，将在俄罗斯学校中开展"健康生活方式"教育。俄罗斯的调查认为，一个人的健康只有 15% 取决于医学和药物，85% 取决于人的生活方式。近 30 年来，俄罗斯普通学校学生负担过重，身体素质下降，中学毕业生只有 15% 是健康的，85% 患有各种慢性病。由于负担过重和体质下降，中小学教育的水平也有所下降。为配合开展健康生活方式教育，俄罗斯将中小学每周两小时体育课增加到每天一小时，而且周六和周日不布置家庭作业，让学生有充裕的时间进行体育锻炼或者其他娱乐活动。

帮助人们改变不健康的生活方式，建立健康科学的生活方式，是我国健康教育的重点，也应是素质教育的重点。但至今还没有一个地方开展专门的综合性的生活方式教育项目，这是亟须改变的一个现实。而在美国和其他西方国家，生活方式的教育和推广已进行很长时间了。最早在1877年，美国密执安州建立的疗养院就是一个健康生活方式教育中心。现在美国有许多生活方式教育中心，尽管收费很高，来受教育的人仍然络绎不绝。

健康生活方式教育应警钟长鸣，所有的人都应在这长鸣的警钟声里，保持自觉的警惕并走向健康生活方式之路，千万不要"身后有余忘缩手，眼前无路想回头"，到了无可奈何之际再想柳暗花明，为时晚矣！

在影响我们身体健康的主要病种中，**心血管病是第一位的**。去年，全世界死于心脑血管病的人数是1 550万，占总死亡人数的29%。心血管疾病已成为威胁人类健康的全世界最大的疾病。前世界卫生组织总干事中岛宏讲过，只要**采取预防措施就能减少一半的死亡**，也就是说有一半的死亡是完全可以预防的。其实高血压等心血管疾病并非不可控制。研究表明，世界心血管病流行有三大趋势：上升型、稳定型和下降型。自二战以后，美国心血管病死亡率年年上升，但从1968年起，开始下降，从1972年以后的20年间，脑卒中死亡率下降了59%，冠心病死亡率下降了52%。日本从1951年起，脑卒中死亡率开始占人口死因首位，并节节上升，至1970年止，20年间增高达40%，但自1971年后年年下降，至1989年止，19年间下降44%，成绩显著。加拿大、澳大利亚的也是下降型，西欧国家的多数为稳定型，东欧及我国的为上升型。中岛宏博士还说过一句话："许多人不是死于疾病，而是死于无知。"因此他再三提出告诫："不要死于愚昧，不要死于无知，因为很多病是可以不让它发生死亡的，是可以避免的。"

有位同志患有冠心病，这种病一定要避免着急和突然用力。有一回他去搬很重的书，如果一次搬两三本书，一点问题也没有。他一次搬一摞书，一使劲，当即心跳停了，经过全力抢救后心脏跳动了，可脑子死亡了，变成了植物人，4 年医药费花了 150 万元。

另有一位北京人，在计划经济时代，有一天买了许多白菜回家，放在墙根，结果第二天下了一场雪。他怕白菜冻坏了，于是从三楼下来搬白菜。白菜一棵好几斤，第一次搬三棵，从楼底搬到三楼阳台，第二次又搬了两棵，第三次又搬了两棵，共 50 斤重。可是因为平常不干活，一下子上下三楼，累得他直喘，而且越来越厉害，咳嗽、吐血沫痰。他知道不行，就上了医院。到医院一看，不得了，急性心肌梗死，急性左心衰竭。赶紧抢救，打上一针，这一针药 0.1 克 15 000 元钱。金子 1 克才 100 块钱，0.1 克才 10 块钱，而这个药 0.1 克就要 15 000 元钱! 药还挺好，打进去之后病情很快就缓解了，最后花了 6 万元，病治好了。

大家想一想，当时 100 斤白菜 12 元钱，50 斤白菜才 6 元钱。为了抢救这 6 元钱的白菜共花 6 万元医药费，差一点命就没了。如果他接受健康教育，知道平常不太活动的人突然之间不要干重活，明白这种因小失大的后果，就可避免这种事情的发生了。

医学家还经常强调一句话：**老年人要注意三个"半分钟"、三个"半小时"**。有的人白天还好好的，没什么症状，突然就死了，原来他夜里起床上厕所动作太快了，突然一起床，体位性低血压，脑缺血眩晕摔倒，致使有的人颅骨摔碎了，有的人心脏骤停了。还有的人上厕所，前列腺肥大，小便时太使劲，憋着憋着，眩晕摔倒。

医学家为什么提出三个半分钟呢？在遥控心电图监测时，发现好多人白天心电图正常，到了晚上老是心肌缺血，提前收缩。这是什么道理呢？原来人在夜间突然一起床时，会一下子血压降低、脑缺血，心脏就容易停跳。医学家提出了三个"半分钟"：①醒过来不要马上起床，在床上躺半分钟；②起来后坐半分钟；③两条腿下垂在床沿再等半分钟。经过这三个"半分钟"，不花一分钱，脑不会缺血，心脏不会骤停，减少了很多原本可以避免的猝死、心肌梗死和脑中风。

三个"半小时"就是：①早上起来运动半小时，打打太极拳、跑跑步（大约2~3公里），或者进行其他运动，但要因人而异，运动适量。②中午睡半小时，这是人体生物钟的需要，使血压曲线有个低谷，心脏受到保护。有研究表明，这样做可使冠心病发病事件减少30%，而且下午上班时精力特别充沛。老年人更需要补充睡眠。因老年人晚上睡得早，清晨起得早，中午非常需要休息。③晚上6时至7时慢步行走半小时，可减少心肌梗死和高血压的发病率。

医学家还提出老人防意外要做到"六不要"：

一不要做猛烈转头运动。北京军区总医院张禹教授说，转头固然可以锻炼颈部肌肉，缓解颈椎病所致的肩背肌肉僵硬、麻木，但老年人乐此不疲地做转头运动不适宜，因为头部转动过快、持续时间过长或动作幅度过大，有可能使颈动脉受压扭曲导致急性脑缺血，发生昏厥而出现意外。所以做转头运动时有三不宜：即转头不宜过快，持续时间不宜过长，动作幅度不宜过大，而且最好有人相伴。

二不要烫澡。张禹教授说烫澡会使全身皮肤毛细血管扩张，大量血液分布在体表，导致心脑等重要脏器供血相对不足，有心脑血管疾病的患者就易发生心脑急性缺血而致意外。另据研究证实，水中的有害物质三氯乙烯和三氯甲烷，在高温条件下分别有 30% 和 50% 可变成蒸气，并随着水温增高和时间延长而增多。

三不要喝冰镇饮料。老年人大量饮用冰镇饮料极其危险，因为人的食道就在心脏背后，胃又在心脏底部，所以喝大量冰镇饮料会诱发冠状动脉痉挛，容易猝死。

四不要饱餐和酗酒。饱餐和酗酒会增加心脏负担，老年人的心脏储备功能刚刚满足平时需要，经不起外来的负荷，如果说把饱餐、酗酒、激动、中老年和心脏病这几项合起来，差不多等于猝死。

五不要空腹跑步。生命虽然在于运动，但运动要讲究科学。空腹跑步不仅会增加心脏和肝脏负担，而且极易引发心律不齐，导致猝死。50 岁以上的中老年人，由于利用机体内游离脂肪酸的能力比年轻人低得多，因此发生意外的可能性更大。

六不要蹲便。北京朝阳医院有关专家介绍，排便时的动脉血压和心肌耗氧量会增加，血压骤升可导致脑溢血，心肌耗氧量增加可诱发心绞痛、心肌梗死和心律失常。老年人更因血管调节反应差、蹲便时间过长突然站起来等原因时常发生脑缺血而晕倒甚至猝死，所以老年人使用坐便为好。

老龄化问题中还要注意老年人常有的肺部感染，人过40岁后，肺功能以每年约1%速度逐年下降，老年肺气肿逐年增多，肺部感染也日益常见，更重要的是，同样的肺部感染，对年轻人不算什么，但对老年人常导致命性疾病，因为老人肺气肿后肺部有效呼吸功能下降，一旦感染，很快缺氧，引起心功能衰竭、肺功能衰竭，不少老人平常看来很健康，只因为一次不起眼的呼吸道感染，迅速导致心肺功能衰竭而死亡，使用抗生素效果也不好。

怎么预防呢?当然注射肺炎球菌疫苗有一定作用，但最主要的还是按健康生活方式增强自身抵抗力，另外，晚上睡前用热水泡泡脚，十余分钟，实验证明，可以反射性扩张咽部、上呼吸道毛细血管，改善微循环，可以明显减少上呼吸道感染次数。每天睡前用淡盐水漱漱口，做些保健按摩，尤其是面部、颈部按摩及叩齿，也有良好预防作用。

健康教育就是用一些很简单的办法预防很多重要的疾病。有人讲现代科学发达了，治病可以用高科技。高科技好是好，代价太高。就拿心脏移植来说，全国第一例成功的心脏移植手术是在北京安贞医院做的。患者是东北一个 14 岁的小女孩，心脏移植以后活了 214 天，花了 20 多万元，每天 1000 多块钱。有一种口服药，一小瓶 5000 元就 100 毫升，有的针打一针就 1500 元钱，太贵了。冠心病很复杂，狭窄的冠状动脉用球囊扩张后还要放支架。这个支架长 3 厘米，内径 3 毫米，重量不到 1 克，多少钱呢？25 000 元钱。一次放 1～3 个支架，再搭一根导管，12 000 元钱，用一次就得扔了。做一次心脏介入手术就要几万甚至十几万，而且，高科技不可能使人恢复到原来没有病的状态，仍然不如不得病好。

打败高血压这只纸老虎的最有效的武器是"早"
——早期发现，早期治疗。早期发现的高血压，只需每日一片药，服几个月，有些人还可以逐步减量或停药；若等五六年后再治，则常需要合并用几种药，而且需长期、甚至终生服药；若等十余年再治，则常有合并症出现，难以康复，乃至致残、致死。控制高血压很简单。
一天一片药，减少脑溢血。真正的脑溢血要开颅、打洞、抽血，就是活了也是半身不遂。有个同志高血压 12 年，他的血压很奇怪，200 毫米汞柱时不难受，可一吃降压药反倒很难受了。他老不吃药，咨询了两个医生，一个医生说：你必须吃药；另一个医生说：你既然吃药难受，就别吃药吧！他不吃了。12 年下来，肾动脉硬化、尿毒症，这可不得了，必须要做肾透析，一个礼拜换三次血，一年 9 万元钱。结果透析 10 年，用了 90 万元钱。他爱人为他请了 10 年的假，而他整天坐在轮椅上，十分痛苦，浮肿贫血，最后也去世了。其实一天一片降压药，不到 1 元钱就管用。有病没按科学的方法治，结果花了 90 万还没有保住性命。高血压是只纸老虎，比其他心血管病都容易制服。据美国报告，使高血压发病率减少 55% 的有效方法是：**盐要少吃；体重要控制；运动要增加；烟酒要戒掉；心理要平衡。**如果这样的话，我国高血压患者可以减少一大半。若能对儿童高血压早期识别，对中青年高血压早期预防，效果会更好。其实预防很简单，而且可减少很多人得病，减少很多意外，从这个意义上讲，高科技治疗远远不如预防好。

健康最根本、最重要的问题，就是观念问题。观念必须转变。什么叫观念转变呢?我们要充分认识到，现在这么多的各种各样的病，归根到底就是生活方式不文明造成的。如果我们坚持文明健康的生活方式，就可以不得病。文明的生活方式一共就四句话，十六个字：

合理膳食；适量运动；戒烟限酒；心理平衡。

这四句话十六个字，是 1992 年世界卫生组织总结了当前世界预防医学的最新成果提出的"维多利亚宣言"——健康四大基石，它能使高血压减少 55%，脑卒中减少 75%，糖尿病减少 50%，肿瘤减少三分之一，平均寿命延长 10 年以上，而且不花什么钱，因此健康方式很简单，效果非常好。

我 1981 年去美国，专搞预防医学研究，导师是非常有名的斯坦默教授，世界上有名的权威。他带我到一个社区，在美国芝加哥一家公司开一个午餐会。老板说，今天开会给55岁至65岁退下来的、在这10年当中未得病的人发奖，一个人发一件T恤衫，一个网球拍，还有一个信封，里面装一张支票，是象征性的少量奖金。啊! 大家鼓掌，都很高兴。回去一想，美国这个企业家太聪明了，因为他的工人10年不得病、不花钱，可节省许多医药费，你才给他一件T恤衫、一个网球拍，你想他创造的财富得有多少钱? 他这个公司有游泳池、健身房、网球场，鼓励大家运动，大家都不得病。我回来后，到北京一看，我们的工会主席、支部书记一到过年过节，就看老病号。病越重，越去看，健康的人反而没人关心。我并不是说老病号不要关心，不是这个意思，而是说也要关心这些健康人，让大家健康，鼓励大家不得病。

我们的观念是重视医疗到了位，就是认为现在医疗费花去5万、10万没问题。我管的病房，住院干部一住就是几万。我国医疗费花100万没问题，但预防费却一分钱也难找。实际上据专家测算，**心血管病预防花上1元钱，医疗费就能省8.59元**。我在北京农村做过一个调查，有户农民一年收入20万元，他很有钱，光过年给小孩买爆竹一花就2000多元钱。这么有钱的人，到他家里一调查，全家7口人一把牙刷，他认为刷牙是多余的。结果这家7口人有4个得高血压。实际上口腔健康，可以减少很多病，如风湿病、肾炎、动脉硬化、心脏病。在国外口腔健康被认为是第一重要的，世界卫生组织也非常重视口腔卫生。所以我们的观念要转变，从治病转变到预防上，不然就永远又花钱又受罪。

对白领阶层来说，观念问题很重要，就是不能跟着感觉走。要早期检查，及时检查，定时查体，因为许多心血管病及高血脂、糖尿病早期都是没有症状的，及至因病去医院，已经错过最好时机。前年，对全国一些大城市9 000余名门诊首诊病人进行高血压调查，结果发现35～45岁这组中年人，知晓率、服药率最低，其实这组人群正处于承上启下、负担最重、最应关心自己的年龄，反而最不注意自己的健康。动脉硬化是植根于青少年，但发展最快是在中年。男性在30～39岁、女性在40～49岁是一生中动脉硬化最快的10年，是防治最佳年龄。50年代，朝鲜战争时美国兵尸检，在一些平均27岁年龄组人中，77%已有冠状动脉硬化。我们现在中年查体，发现超重、高血脂、脂肪肝、高血压比例越来越高，亚健康越来越多，因此关爱自己一定不能忽略，要及时查体。

面对社会和自然环境的紧张压力，人体的第一个反应就是交感神经兴奋，表现为血中肾上腺素和去甲肾上腺素浓度升高、心跳加快、血压上升、血糖增高、血小板活性增强，机体进入"应激"状态。这种状态如果持续过久、过强，就会导致一系列病理生理改变，最终发生心脑血管疾病、糖尿病等一系列疾病。

据新近对北京、上海24万自然人口调查，发现我国高血压患病率呈持续上升趋势。同时，另一项研究也引人注目，据对北京、南宁、宁波300余例15～39岁死亡者尸解发现：北京组冠状动脉粥样硬化者已占75.2%，而其中重度病变（指冠脉狭窄已超过50%）者占23.1%，几乎为南方组的2.5倍。这表明我国人群动脉粥样硬化发病率增高，发病年龄逐渐年轻化，已接近高发国家水平。是什么原因造成这种趋势呢？

流行病研究表明：动脉粥样硬化是一种由遗传基因与环境危险因素交互作用而形成的慢性全身性疾病，其有关危险因素多达数十种，但最重要的有四种：即**悄悄的凶手——高血压，无声的凶手——高血脂，微笑的凶手——吸烟，甜蜜的凶手——糖尿病**。就我国而言，第一凶手当推高血压，这不仅因为高血压危害严重，更因为其数量众多。我国目前有高血压患者1.1亿，每年还以350万新患者的速度增加。那么，动脉硬化、肿瘤、糖尿病究竟是怎么得的呢？世界卫生组织认为，慢性非传染性疾病是由内因与外因交互作用而生成，内因占15%，外因占85%；外因中，社会条件占10%，医疗条件占8%，气候、地理条件占7%，而生活方式占到60%。早在1953年世界卫生组织提出"健康就是金子"这一理念，目的就是号召大家重视自身健康。而健康的钥匙正是掌握在每个人自己手里。

内因是一种遗传、一种倾向。比如爸爸高血压、妈妈高血压，生出来的小孩有45%的可能得高血压；如果爸爸妈妈有一个高血压，生出来的小孩有28%的可能得高血压。如果爸爸、妈妈都正常，孩子得高血压的只占3.5%。因为遗传是一种倾向。为什么有些人一出生就患有高胆固醇、高血压？这是遗传的影响。我们简单用一个例子说明一下。小白兔应该吃什么呢？本应该吃萝卜。但假如从今天开始让小白兔改吃鸡蛋黄拌猪油，4个礼拜后小白兔胆固醇增高，8个礼拜后动脉硬化，12～16个礼拜后小白兔个个得冠心病。因为蛋黄胆固醇高，猪油是动物脂肪。下面我们换用北京鸭子做实验，也让它吃蛋黄拌猪油。结果很奇怪，鸭子天天吃，不管怎么吃，但鸭子的胆固醇也不高，动脉也不硬化，更没有冠心病。哎！这就奇怪了，怎么兔子一喂就动脉硬化，鸭子就没有动脉硬化呢？道理很简单，兔子是兔子，鸭子是鸭子，遗传基因不同。人也是一样：为什么张三一吃肥肉胆固醇就高，动脉就硬化，冠心病就来了，而李四天天吃肥肉，却什么事也没有？因为张三是兔子型的，李四是鸭子型的。鸭子型就没事，兔子型就倒霉，先天就倒霉。为什么有人吃得并不多，可减肥就减不下来，那个吃得很多的人就胖不了，就是因为人的体质类型不同，遗传不同。有些东西遗传占100%，有些遗传只是个倾向。高血压、冠心病是一个倾向，即可能性较大，概率较高。

人和人表面看起来，高矮差不多，胖瘦也差不多，长相好像也差不多，其实人和人有天壤之别。例如，我们说人生吧，风风雨雨，每个人都会遇到生气、着急、不痛快的事，但遇到生气、着急、不痛快的事，张三一生气、着急就心跳加快、血压高、脸红、浑身哆嗦；李四一生气、着急，心跳不快、血压不高，但是胃疼，胃穿孔，胃出血；王二一生气、着急，得糖尿病了；第四个人生气、着急，既不得心脏病，也不得胃病，也不得糖尿病，但得了癌症。我遇到一个病人60岁，一辈子很健康，有一天他回家一听不得了了，原来他大儿子骑自行车从胡同出去一拐弯，对面来辆大卡车一撞，把脖子撞断了，高位截瘫，四肢不能动了。他到医院一看可不得了，正抢救呢，身上插着七根管子，从鼻管、胃管到尿管，还有胳膊上、脚上到处都是。他儿子28岁正准备结婚，医生说他儿子将终生高位截瘫，今后大小便都成问题，不要说结婚，工作也不成了，生活也不行，以后一辈子都要人伺候。医药费要多少钱呢？三天1万块钱。可了不得，大儿子是这么一个状况，今后一辈子谁管呢？他回去之后忧虑得不但吃不下饭，水都喝不下。过一段时间上医院拍片一看，食道癌，食管上阻塞了，赶快手术，一开刀胃里还有两处癌。三个月前他还很健康，压力之下一忧虑，三个月内两个部位三个癌，结果比儿子死得还早，截瘫孩子还在抢救。对他来说，压力造成了癌症。第五个人也是遇到压力，变成精神分裂症了。第六个人生气、着急什么病也没有。都是人，都是生气着急、遇到压力，有的人得心脏病、溃疡病，有的人得糖尿病，有的人什么也没得，这就是因为人的心理承受能力不同。

　　记得"文化大革命"中，红卫兵每天早上第一件事就是揪斗走资派。有一个党委书记是个女同志，前前后后斗了一百多次，剃光头、坐"喷气式"。但是这个女同志非常不简单，斗完了回家以后该吃饭吃饭，该睡觉睡觉，若无其事。我从心眼儿里佩服她，她不愧是真正的共产党员，是特殊材料制成的。过了没几天又揪出护士长了，一个上海人，模范护士长，待病人如亲人，真是非常好的人。她爸爸是历史反革命，跟她有什么关系？可因为护士长特别孝顺，每个月给她爸爸寄20元钱，阶级阵线没划清楚。她虽然是护士长，可她没经过风雨世面，一听明天也得把她揪出来剃光头，可不得了了，一阵恐惧，当时精神就崩溃了：与其明天这样受侮辱，还不如死了。死没有地方死，最好的办法是放血吧，把动脉里的血放掉人就完了，可又怕把地弄脏了，怎么办呢？她找来一个塑料桶，用手术刀片切手上动脉，两手的动脉都切断了，再将手放在桶里放血。血放了一半，血压一低，动脉痉挛，血还出不来，想死还死不了。怎么办呢？天亮红卫兵又要来了，最后咬牙从五楼跳下来，头颅着地，粉碎性骨折，当时就死了。那个地方是我们上班必经之路，虽然尸体搬走了，但是一地脑浆一地血，惨不忍睹，谁见了都终生难忘。怎么别人被斗一百多次，若无其事；明天才斗她，今天精神就崩溃了？这就是人和人的不同，人和人心理耐受能力、精神、性格、意志和各方面都不一样。所以人和人千差万别，因为内因不同，因此有的人生出来胆固醇就高。北京有的小学生就血压偏高，如果他还肥胖，那将是冠心病"候选人"。

我们现在讲的这些病，内因在慢性病中所占的作用不是主要的，只占15%，85%是外因造成的。因此，可以通过外因调控，用科学的生活方式来减少疾病，健康的钥匙就在自己手里。外因调控在著名的"维多利亚宣言"中概括为四句话十六个字：合理膳食；适量运动；戒烟限酒；心理平衡。

♥ 健康第一大基石——合理膳食

+ 一杯牛奶强壮一个民族，科学合理的膳食是"百岁工程"的地基
+ 饭前喝汤苗条健康
+ 七八分饱延年益寿
+ 减肥腰带调控主食

民以食为天，合理的膳食很重要。因为合理的膳食可以让你不胖也不瘦，胆固醇不高也不低，血黏度不稠也不稀。那么怎么做到合理膳食呢？两句话，十个字："一、二、三、四、五，红、黄、绿、白、黑"。记住这两句话十个字，就是科学合理的膳食了。

什么叫"一"呢？每天喝一袋牛奶。我们中国人膳食有很多优点，但缺钙，中国人差不多90%缺钙。缺钙有三个结果。第一骨疼，缺钙的人骨质疏松，容易患骨质增生、腰疼、腿疼、抽筋，经常浑身疼；第二驼背，

第三骨折，一摔骨头就断了。我们碰到一个病人，先是咳嗽，咳嗽胸就疼，最后不咳嗽也还疼。他觉得很奇怪，怀疑是不是得了肺癌，结果到放射科拍照，放射科医生一看吓了一跳，他光咳嗽就咳断了三根肋骨。住院以后，他因为疼得不能翻身，一帮他翻身，啪！又断一根，断了四根，原来他全身骨头都变疏松了。所以缺钙会造成三大症状。那么为什么会缺钙呢？因为每日每人需要800毫克钙，而我们的膳食里仅有500毫克钙，而每袋牛奶约有300毫克钙，所以要每天补足一袋牛奶，正好补齐每日需要的钙量。牛奶什么时候开始喝呢？从一岁开始。喝到什么时候呢？直至终身喝奶。外国人大多高大健康，不是因为饭吃得多，也不是肉吃得多，而是因为他们喝奶喝得多。二战前的日本人因身材矮小被戏称为"小日本"，而现在日本人变了，同龄的中小学生，日本孩子的平均身高超过北京孩子，比广东、福建小孩高得更多。原因很简单，二次大战后，日本政府每天中午给小学生免费供应一袋牛奶。就这么一袋牛奶，日本人一代比一代高，现在超过了中国人，所以日本有句话："一袋牛奶振兴一个民族"。泰国为了摆脱矮小人种的困扰，从国王、王后到王室成员，全部致力于"儿童每天喝牛奶"的宣传。泰国20年的努力成绩令人瞩目：18岁男青年身高较以往增长4厘米，女青年增高3厘米。英国孤儿院做过专门研究，孤儿没有爸爸妈妈，吃得一模一样，甲组每天加一袋牛奶，乙组不喝奶，就这么一点差别，结果到了15岁，离开孤儿院时进行测量，发现一天喝一袋牛奶这组小孩的身高比不喝牛奶那组的小孩子平均高出 2.8 厘米；每天喝两袋奶的高出 4.8 厘米；更重要的是喝牛奶这组，孩子皮肤细腻、光滑、滋润，眼睛、头发有光泽，个个肌肉发达而且聪明。外面来挑人，第一批挑走的，一看名单，全都是喝奶这组的小孩。英国前首相丘吉尔曾说，没有什么比得上给儿童提供牛奶更重要的了。法国著名文学家罗兰·巴尔特说，牛奶的纯白洁净常常与平静、洁白、神志清醒联系在一起。可见喝牛奶与不喝牛奶不一样，别看就一袋牛奶这么简单，但影响人的身高、体重、智能，一天喝两袋牛奶的人要高 4.8 厘米，更明显。牛奶什么时候喝好呢？睡觉前喝好。因为孩子长个子时，白天不长，晚上入睡 1 小时后，生长激素开始分泌，所以**睡觉前喝奶，如果喝完奶后能再吃一片 100 毫克维生素 C 和一片复合维生素 B**（3 岁以下上述两种维生素每种半片就够），这个孩子不但身高、体重好，而且抵抗力强，感冒、扁桃腺炎、肺炎、发烧之类的病都难得，很健康，一路健康成长。一袋牛奶再加一片维生素 C、复合维生素 B 不到 1 元钱，营养就够了。因为每 500 毫升（两袋）奶能满足人体每天需要的动物蛋白的 50%，热能的 16%，钙的 60%。德国联邦牛奶研究所所长黑申教授则更列举了牛奶的诸多好处：防治中风、高血压、心脏病；阻止人体吸收有毒物质，如铅、镉；脱脂奶和酸奶能增强人体免疫力；提高大脑工作效率；美容；催眠……在这些意义上说，奶牛，也是中国人的保姆。

很多家长对独生子很疼爱，但疼得不得法，怎么疼孩子呢？有的家长给孩子买各种各样的补品。补品概念就很混乱，有的孩子补了多年，补成胖子，提前来月经，成了胖墩。花那么多钱买补品干啥？其实就是牛奶加维生素 C 再加复合维生素 B 就够了。有人说，我们中国人很多人一喝牛奶就腹泻，那怎么办呢？改喝酸奶就行了。那不爱喝酸奶，怎么办？喝豆浆，可是要两袋豆浆，因为豆浆中钙的含量是牛奶的一半。好，那么有人说了，我不喝牛奶，酸奶我也不喝，豆浆我不爱喝，那怎么办呢？如果你牛奶不喝，酸奶、豆浆也不喝，那很简单，你就等死吧！

"二"是什么意思呢？"二"是 **250 克至 350 克碳水化合物**，相当于 300 克(六两)至 400 克(八两)主食。这六两到八两不是固定的，比如有些年轻人他干活挺重，一天就要一斤半。有些女同志呢，胖胖的，工作量很轻松，不用六两，一天三两就够了。调控主食可以调控体重，是最好的减肥办法。现在减肥药很多，还有减肥霜、减肥茶、减肥喷雾剂，太多了，实际上不用这样减肥，怎么办呢？减肥主要靠调控主食和适量运动。大家听说过吗？意大利歌唱家帕瓦罗蒂，体重 151 公斤，医生要他减到 90 公斤，怎么办呢？就是用这个办法，调控主食。我们治过一个病人，身高 149 厘米，体重 99 公斤，按减肥食谱，一天三两主食，头一个多月一天二两半，结果全年体重减轻 33 公斤。**控制主食就可以控制体重。**最近科学家提出一句话减肥，这是最科学、最顺利的减肥法，叫做："**饭前喝汤，苗条健康**"。广东人就是最好的例子，广东人特别爱喝老火汤，饭前喝汤，汤到胃里，通过胃黏膜，再通过神经反射到脑干食欲中枢，就能使食欲中枢兴奋性下降，食量就自动减少三分之一，而且吃饭变慢；如果没有汤，你就拨点菜用开水冲一冲变成汤，先把这个汤喝了，立刻能使食欲下降。我们北方人不一样，北方人饭后喝汤，越喝越胖。这就错了，为什么呢?吃饱饭再喝汤，把胃撑得很大，加上汤里有脂肪、肉片、蛋等，又补充热量。所以，饭后喝汤，越喝越胖；饭前喝汤，苗条健康。瘦人想变胖，饭后喝汤；胖人想变瘦，饭前喝汤。一字之差出入很大。

"三"是什么意思?**三份高蛋白**。人不能光吃素，也不能光吃肉。蛋白质不能太多，也不能太少，三份至四份就好，不多不少。一份就是一两瘦肉或者一个大鸡蛋，或者二两豆腐，或者二两鱼虾，或者二两鸡或鸭，或者半两黄豆。一天三份。比如说我今天早上吃一个荷包蛋，中午我准备吃一个肉片苦瓜，晚上吃二两豆腐或二两鱼，这一天三份至四份的蛋白质不多也不少。蛋白质过多，消化不良，造成肠道毒素太多。蛋白质太少了也不行。有位著名法师是蛋白质营养不良，帕金森综合征，经静脉点滴氨基酸，补充营养，治好出院后他辟谷（一种气功），营养不良，结果死了。人吃蛋白跟谷物有个比例。我们知道人有三十二颗牙齿，其中四颗犬齿，吃肉用的；二十八颗门齿和臼齿，用来切割磨碎蔬菜和淀粉用的，也就是从牙齿的结构比例安排也是主要以素食为主。人不能天天吃肉，你不是老虎啊，老虎都是犬齿，那当然就是吃肉的，自然界的规律就是这样。

那么，什么动物蛋白质最好？**鱼类蛋白好。**吃鱼多的地方，比如阿拉斯加、舟山群岛，人吃鱼越多，动脉粥样硬化越少，冠心病、脑卒中越少。植物蛋白以什么最好呢？黄豆。黄豆蛋白不但是健康食品，还对妇女特别好，能减轻更年期症候群。更年期的妇女血压常忽高忽低，一会儿脸红，一会儿脸白，一会儿出汗，一会儿心慌，脾气很大，这就是妇女更年期综合征。外国妇女呢？她没什么事，50、60、70、80岁，看起来体形线条一样。很多外国80岁老太太出门就开车，开完车就上游泳池，人老了还游泳，还能跳水。中国就不同，为什么？中国妇女50岁以前可以，一到50岁以后胖了，血压高了，骨质疏松了，很快变成老大妈了，因为我们没补充生理性雌激素。豆类就有这种雌性激素的作用，可以减轻妇女更年期综合征。

"四"是什么意思呢？**四句话，即"有粗有细，不甜不咸，三四五顿，七八分饱"。**粗细粮搭配，一个礼拜吃三四次粗粮，棒子面、老玉米、红薯这些粗细粮搭配营养最合适。不甜不咸是指"清清淡淡才是真"。北方人患高血压病的多于南方，是因为口重。目前北京人日均食入盐12～14克，**其实6克就行，**起码先减少1/3。我们的厨房已装修一新，设备"革命"了，还需问一句：配盐勺了吗？三四五顿是指每天吃的餐数。绝对不能不吃早餐，只吃两顿。我想重点讲讲七八分饱。同志们，请大家无论如何记得**吃饭一定要吃七八分饱**。记住这一句话就可延年益寿，这句话非常重要。古今中外，延年益寿的办法不下几百种，但是都无效。真正公认最有效的能够延年益寿的办法就是一种，我们叫低热量膳食，说白了就是七八分饱。就这一个办法，古今中外公认能长寿，其他什么秦始皇找仙丹，都没用。美国科学家做过这样的实验：100只猴子随它吃饱，另外100只猴子七八分饱，定量供应。结果呢？随便敞开吃饱的那100只猴子10年下来，胖猴多，脂肪肝多，冠心病多，高血压多，死得多，100只猴子死了50只；另外100只吃七八分饱的猴子，苗条、健康，精神好得多，很少生病，100只猴子10年养下来才死了12只，后来一直养着，观察到最后证明，所有高寿猴子都是那些喂七八分饱的。七八分饱确实很重要，中医有句老话：若要身体安，三分饥和寒。这很有道理。美国有个很著名的专家，他的话很权威，他写了一千多篇文章，来中国讲过学。有一次讲完课，他说：快要到21世纪了，希望人人健康，我送你们两句最重要的话，比一切药物都好。哪两句话呢？第一，吃饭七八分饱。意思是说当你离开饭桌时还有点饿，还想吃，这就是七八分饱。第二，爬楼、走路、慢跑，就是说平常出去时多走路，住楼上不坐电梯经常走着上去。世界上最好的运动就是步行，实际上步行运动就能预防糖尿病，预防冠心病，预防高血压。

"五"是什么意思？就是500克蔬菜和水果。人生最大的痛苦莫过于癌症，晚期癌症。怎样才能不得癌症呢？**预防癌症的最好办法，就是常吃新鲜蔬菜和水果，**新鲜蔬菜和水果有一个特殊作用就是防癌，能减少癌症一半以上。河南有个林县，食道癌是全世界最多的地方，后来补充一些维生素、硒、新鲜蔬菜和水果，食道癌患病率明显下降。可以经常吃点这些，预防癌症最好。这就是"一、二、三、四、五"。

什么叫"红、黄、绿、白、黑"？**"红"是一天一到两个西红柿，特别提醒男同志一天一个西红柿，前列腺癌可减少45%。**熟吃的西红柿更好，因为番茄红素是脂溶性的。第二个就是说如果健康人喝点红、白葡萄酒或米酒也可以，但是酒千万不要喝得太多。**少量酒是健康的朋友，多量酒是罪魁祸首。**有个统计，监狱里罪犯的50%，交通事故肇事者的40%，住院病人的25%都和喝酒有关。酒精是罪魁祸首，但少量可以。世界卫生组织的口号：酒越少越好。如果没有病，没有脂肪肝，没有冠心病，喝点少量的葡萄酒、米酒是可以的，每天50～100毫升。如果这个人情绪低落，那么炒菜时加点红辣椒可以改善情绪。红辣椒可以刺激体内产生内啡肽，是改善情绪、减少焦虑的东西。

"黄"是什么意思？中国人的膳食刚才讲过，缺钙和缺少维生素A。缺少维生素A有什么表现呢？小孩免疫力下降，感冒发烧，扁桃体炎；中年人得癌症，动脉硬化；老年人眼发花，视力模糊。补充维生素A，可以使儿童增强抵抗力，老人眼睛不发花，视网膜病少。富含 β 胡萝卜素（维生素 A 的前体）的有胡萝卜、西瓜、红薯、老玉米、南瓜、红辣椒，或者干脆叫红黄色的蔬菜，**红黄色的蔬菜含维生素 A 多**。

"绿"是什么意思？饮料里茶最好，茶叶当中绿茶最好，**绿茶含有多种抗氧自由基的物质，可减缓老化**。我有一次去福建，武夷山茶农对我说：你买我们的茶能长寿。我问什么意思？茶农说：我们这茶好，因为我们这里很多人是茶寿。那里的人不叫高寿、长寿，而是叫茶寿。我国古代把 88 岁叫米寿，茶寿是指 108 岁，因为茶字是由 "艹" 加上 "八十八" 组成的。不管怎么说，喝茶倒是能够延年益寿，减少肿瘤，防止动脉硬化，这是肯定的。

"白"是什么意思呢？**是指燕麦粉、燕麦片**。英国前首相撒切尔夫人每天早餐吃燕麦面包，连出国访问，早餐食谱都不变。国民党元老陈立夫 100 岁时，还每天早上吃燕麦粥。我们北京很多老干部、病人天天早上都喝燕麦粥，我每天早上也是一两燕麦粥。燕麦粥很便宜，吃一个月花的钱还不如吃一片药的钱。为什么呢？你吃一两燕麦粥，可以少吃一两馒头，这就是主食吧，一两馒头三毛，一两燕麦粥四毛，才多一毛钱，一个月才多三块钱，可以吃一个月，而且效果还挺好。燕麦粥不但降胆固醇，降甘油三酯，还对治疗糖尿病、减肥效果特别好。特别是燕麦粥通大便，很多老年人大便干，用力时易造成脑血管意外。

"黑"是什么意思呢?"黑"是黑木耳。黑木耳这个东西特别好,它可以降低血黏度。黑木耳吃后,血液变稀释,人不容易得脑血栓、老年痴呆,也不容易得冠心病。现在很多人得老年痴呆,其实这个痴呆是很多细小的毛细血管或小动脉堵塞,最后脑子不行了,傻了,记忆没有了,这种情况大多数是因为血黏度太高造成的。吃黑木耳正好,一天5克至10克,相当于一斤黑木耳吃50天至100天。一天一次吃一点,做汤做菜都可以。怎么发现黑木耳好呢?原本是美国医生偶然发现的。他有一天出诊,病人是美籍华人,血黏度忽然降低了。医生问:"你怎么搞的,是不是药吃多了?"病人说:"我肯定药没多吃。""那就奇怪了?那你最近吃过什么吗?"他说:"我前天到过中国城,吃了一顿中国饭,木须肉,有肉片、鸡蛋,还有黑木耳。"美国医生一想,肉片没用,鸡蛋更没用,恐怕是你们中国人爱吃的那种很怪的东西,不然你再去一趟试试看。病人再去一次,果然见效了。最后医生研究发现,原来中国的黑木耳可以降低血黏度。文章发表后,台湾人都用这个方法。北京心肺血管中心专门研究了黑木耳,动物和人体实验都证明用了5克到10克黑木耳就能降低血黏度和胆固醇。后来有一次我为病人看病,病人告诉我一件事,说有一个台湾企业家,很有钱,这个人得了冠心病,血管都堵了,要到美国做心脏搭桥手术。到美国一看,医生说:"不行,现在排得满满的,你一个半月以后再来,我给你排一下。"一个半月以后,他再去,一做冠状动脉造影，三个血管通了。医生对他说："你没有病，血管全通了，不用搭桥，你回去吧。咦，你是怎么治的？"病人说，只用一个偏方：10克黑木耳，50克瘦肉，3片姜，5枚大枣，6碗水，文火煲成两碗汤，加点味精，加点儿盐，每天吃一回，45天，血栓都化了。这是一位病人告诉我的事，我并没有看过他的病历和造影片子，这只是一种食疗，供参考。总之，黑木耳经过科学实验证明能降低血黏度，5克到10克就行了。

记住合理膳食就是两句话、十个字："一、二、三、四、五，红、黄、绿、白、黑"。

♥ 健康第二大基石——适量运动

✚ 最好的运动是走路
✚ 有恒、有序、有度

运动也是健康的非常重要的要素。医学之父希波克拉底讲了一句话，传了2 400年。他说："阳光、空气、水和运动，这是生命和健康的源泉。"生命和健康，离不开阳光、空气、水和运动，说明运动和阳光一样。我们知道奥林匹克运动的故乡是希腊，在古希腊山上的岩石上刻了这样的话："你想变得健康吗？你就跑步吧；你想变得聪明吗？你就跑步吧。"这就是说跑步能使人健康，使人线条好。

什么运动最好？走路。**走路是世界上最好的运动。**

它的健康效果绝对不是高尔夫球、保龄球、游泳所能代替的。因为人类花了300万年，从猿到人，整个人的身体结构就是为步行设计的，步行运动是世界上最好的运动。经过大量的科学研究，1992年世界卫生组织提出：最好的运动是步行。目前仅北美洲每天就有8 000万人参加步行运动。在欧洲，步行运动、徒步旅行日益成为现代人的生活时尚。

实际上早在上世纪20年代初，心脏病学之父美国人怀特已第一个提出步行对健康有特殊益处，主张健康成人应把每日步行锻炼作为一种规律性的终生运动方式。他还身体力行，每日步行运动，来北京访问时，已是耄耋老人，他住在12层楼，上下楼都是自己走，他的科学论著作为教科书影响了整整几代人。

最新的研究已证明：**步行可以逆转冠状动脉硬化斑块**，特别适合中老年人。步行还能有效地预防糖尿病，研究表明：每周步行3次，糖尿病的发病机会比不运动组减少25%；每周步行4次者减少33%；每周步行5次者减少42%。每次应步行3公里左右。我国在大庆及北京的研究也表明：与不运动组相比较，运动组糖尿病发病率减少30%～50%。

步行还能明显使体型健美，步行使脂肪减少，肥胖者减肥，瘦者肌肉增加，变得健壮。一组中年妇女的8周运动锻炼研究表明：8周在医生指导下的逐渐加量运动使参加者平均减少脂肪6公斤，肌肉增加3.6公斤，体重净下降2.4公斤。

更重要的是**步行能使神经系统功能，尤其是平衡功能改善；步行能改善思维，使情绪变得愉快。**

在这里我强调一条，动脉硬化是可预防的，是部分可逆的，它可以由重到轻，从轻到重，从无到有，从有到无，是可变化的。1960年我当学生的时候，老师告诉我，动脉一旦硬化，就不可逆转了。到最近科学才证实，动脉硬化是可逆的过程，动脉硬化由轻到重，也能由重到轻；从无到有，也能从有到无，虽不能彻底消退，但可以部分消退。走路就是使动脉由硬化变软化的一个最有效的办法。研究证明，只要坚持步行一年以上，粥样硬化斑块就能部分消除。经过步行运动的锻炼，对降低血压、降低胆固醇和对体重都有很多好处。过量运动有时会造成猝死，很危险，步行运动最合适。

怎么步行最好呢？请记住三个原则、三个字。三个原则是：**有恒，即持之以恒；有序，循序渐进；有度，适度运动。**三个字：三、五、七。什么是"三"？就是最好一次步行3公里，30分钟以上，分次也可以。"五"呢？一个礼拜最少运动5次。"七"指适量运动，因为过分运动是有害的。那怎么叫适量呢？有氧代谢，就是**运动到你的年龄加心跳等于170。**比如说我50岁的话，运动到心跳120，加起来是170。这样的运动叫做有氧代谢。如果身体好，可以多一些；身体差，可以少一些；步行运动量力而行。最近有组资料，老年分两组，一组每周平均步行4.2小时，一组基本上不走路。结果发现步行4.2小时这组老年人冠心病死亡率比不走路那组下降60%，这就是步行走路的好处啊！我看报上报道：雷洁琼95岁，问她有什么爱好，她说最大的爱好就是天天走路。我看报上登的陈立夫，他为什么能活到100岁，他也是每天步行。北京东华门边上有个观，里面有一个道士很穷，政府每月给他15元钱，他这个人有个特点，每天早上起来拄着拐棍，从东华门走到建国门，再从建国门绕回来。一次两个小时，一年四季天天走。那个寺庙旁边还有许多房子，原来这些房子住着一些有钱人和名人，这么几十年下来，现在很多人不知道哪儿去了，惟独这个道士到90岁还生活得好好的，他其实并没什么很好的营养或者很好的食品，就是每天早上起来棍子一拿就走路，走两个多小时，就这么简单，但一直坚持，一直身体非常好。步行运动坚持下去，可以代替很多保健品。

有一个狼医生的故事。森林里有狼有鹿，人们为了保护鹿，猎人就把狼消灭了，认为这样就把鹿保住了，哪知道适得其反。几年以后，鹿因为没有狼，吃饱了就躺在草地上休息，晒太阳，结果鹿变得胖起来了。鹿成胖鹿，脂肪肝、冠心病、高血压，自身疾病越来越多，死得也越来越早，后来鹿群越来越少，快要到自动消灭、自动绝种了。怎么办呢？派医生给鹿治病，谁能给鹿治病呢？想来想去，最好的办法是把狼请回来。重新买了狼放在树林里，狼一来就吃鹿，鹿就得跑，狼追鹿跑，在这样的过程中，鹿锻炼了身体。自然界就是这样奇妙，各种生物在这么互相竞争中，各自的生存能力得到了提高。所以离开运动反而糟了，鹿死得更快。有了狼，狼就成鹿的医生了。

除了步行，还有项运动很好，值得提倡，就是打太极拳。它柔中有刚，阴阳结合。太极拳最大的用途是改善神经系统，如果坚持三年、五年、十年之久，平衡功能将会改善，走路绊了一下也不摔跤。美国老年体育协会专门作了研究，分两组老年人：一组在健身房锻炼，天天练肌肉；另一组一分钱不花，打太极拳，结果下来一对比，练拳的这组平衡功能好、脑子好、走路不摔跤，骨折也减少 50%。最后，美国得出一个结论，说非常佩服中国东方人的智慧，不花一分钱的太极拳比现代化的器械效果好得多。我们敬爱的邓小平同志 1978 年 11 月 16 日亲笔题词："太极拳好"。我们不是说因为小平同志说太极拳好，我们就跟着说好，而是因为经过科学证明，太极拳非常好。要么走路，要么练太极拳。

♥ 健康第三大基石——戒烟限酒

+ 烟是香味杀手
+ 戒烟限酒"五一五"
+ 酒少量"怡"心，过量"伤"心

有些人信誓旦旦要戒烟，但戒烟很难，有人说是难于上青天。一项调查表明：吸烟者中，知道吸烟有害者占95%，但愿意戒烟者则为50%，而戒烟成功者仅为5%。

与肥胖不同，肥胖者中知道肥胖有害与愿意减肥并减肥成功者之间的落差要小得多，因为人们认为肥胖不美，而吸烟被青少年认为是"成熟"和"帅"。更重要的原因是许多人不相信吸烟有这么大的危害，他们认为吸烟的危害是医生们的夸大宣传而已，从思想上不予理会，等到发现肺癌、冠心病时，后悔已晚。

下面的一段历史小故事相信有助于人们对烟草危害的认识。1962年，当时全世界还不知道吸烟有害，英国皇家科学院发表了一份报告首先提出：吸烟有害健康。在当时这是很大的震惊。在一次记者招待会上，有记者问肯尼迪："总统先生，您同意英国皇家科学院发表的吸烟有害健康的文章吗？您的医学顾问同意不同意？如果同意的话，政府准备采取什么措施？"这个问题很尖锐，肯尼迪当时想了一下说："现在股市行情低迷，这个问题很敏感，等我一个星期以后回答你。"他回去后立即让卫生总监召集全国最有名望的科学家成立专门的委员会，认真对吸烟问题进行独立的专门研究，以确定吸烟是否有害。

为了表示研究是非常科学、客观、公正，不带任何偏见的，因此科学家名单由官方科研机构拟完后，需经烟草公司同意方可确认。在全国有威望的150位科学家中，经反复遴选，选出了11位最佳人选。在最后审查中，烟草公司提出组长克里高不合格，因为他两年前曾在一次集会中说过吸烟有害健康，说明他对吸烟已有偏见，必须剔除，最后 10 位科学家双方都同意了。经过两年多独立的、绝密的、不受任何外来干扰的研究，其间资料的传递规格都按军事绝密文件处理，最后的结论终于出来了，研究结果将在权威的美国华盛顿国会大厅宣布，但不敢在星期五宣布，因为怕引起股市波动，后来精心选择在星期六，因为这时股市已关闭。宣布时，全场凝神屏息、鸦雀无声："吸烟有害健康，吸烟是导致肺癌、肺气肿、冠心病的重要独立危险因素，吸烟缩短寿命。"此后 30 多年来进行的 6 万余项科研都同样证明了吸烟有害健康，因此烟草的危害是确凿无疑的，绝非危言耸听。

正如一位德国科学家在抨击某西方大国向非洲、亚洲穷国出口香烟时说的：出口香烟是"向穷国出口死亡，是世界级罪犯"。因该国政府在国内号召百姓不吸烟，使人群吸烟率年年下降，但都向烟草公司大量补贴，鼓励其向穷国经销香烟，赚回金钱，出口死亡！

一位跨国烟草公司老板说得很坦率："我们生产香烟但不吸烟，香烟是为穷人、愚昧的人、无知的人生产的。"

在我从医的 40 余年中，一位肺癌病人临死前求救的眼光、求生的渴望给了我刻骨铭心的记忆。这是一位干部，24 岁开始吸烟，已有 37 年烟龄，越吸越多，一天两包。你说吸烟害人害己，他说吸烟利国利民，你说吸烟有导致癌症、肺气肿、冠心病三大害处，他说吸烟有健脑、安神、有利人际交往、夏天防蚊、省装防盗门五大好处。爱人与他讲理、劝说、吵架、打架都一概无效，他最后说："香烟就是我的命，我宁可戒饭也决不戒烟。"看来，真是没有办法了。

但奇迹出现了，37年烟龄，他一分钟就把37年的烟瘾给戒了，什么原因呢？一张CT片显示晚期肺癌转移了。眼前多美好的世界，但流水落花春去也！在以后三个月的日子里，他惋惜、后悔、痛苦、自责、恐惧，但一切都无用了，死神一天天走近，手术、化疗都没能救他，我想任何一个人只要看一看他的眼睛，接触一下他临走前求救的眼神，就再也没有人愿意吸烟了。

同是一分钟就戒烟的人还有，那就是列宁。列宁青年时也是吸烟者，一天他妈妈对他说："家里这么穷，我辛辛苦苦好不容易洗衣换来的钱都被你抽烟抽掉了。"列宁听后，二话不说，当即把吸剩一半的烟扔到地上，一脚踩灭说："妈妈，我不吸烟了。"从此列宁终生不吸烟。

因此戒烟也很容易，压力大，悟性高，说戒就戒；无压力，悟性低，百说百劝也不戒，但死神一露面，不说也自动一分钟就戒了。

从人群吸烟的角度看，控制吸烟的根本出路在于教育儿童、青少年从小不吸烟。一项研究表明：对小学四年级学生一次生动的控烟宣传后，他们在日记和作文中，个个天真而又义愤膺膺地表示，要和烟草作坚决的斗争，不仅自己长大后决不吸烟，而且要加入到控烟的队伍中，绝不允许香烟再害人。有这样的青少年，不需要太长，只要两代人，我们的世界就将是一个阳光明媚、清洁无烟的世界。

戒烟限酒"五一五"，就是应当戒烟，如一时戒不了，**则每天吸烟不超过 5 支**；可以不饮酒，如果饮酒，**每餐饮酒酒精含量不超过 15 克**，即相当于 50 至 100 毫升葡萄酒。吸烟的危害人人皆知，长期吸烟者中，最终有一半人将因吸烟而丧生。英国著名流行病学家彼得教授指出：中国现在年龄在 0 岁至 29 岁的男性超过 5 亿人，其中 2 亿人将成为吸烟者，至少有 1 亿人将因吸烟而死亡。有一半死亡发生在中年期，平均损失 20 年至 25 年生命；一半发生在老年期，平均损失 5 年至 8 年生命。中央人民广播电台曾报道，解放军英模叶景林为创作评书《回家》，曾一天一夜在小屋吸烟三至四盒，因肺癌 48 岁英年早逝。有些年轻人视生命如儿戏，甚至将抽得多作为赌博的砝码。在一个工厂里，几个年轻人打赌，看谁在一小时内烟抽得最多，还得是"大循环"，不是"小循环"。大循环就是烟从嘴里进、鼻孔出，小循环是哪进哪出。最后一个小伙子以一小时抽掉一包烟的"佳绩"勇夺桂冠，"奖品"是急性心肌梗死，终身丧失劳动能力，进医院急救才捡回一条命。所以说，吸烟的人能戒烟一定要戒烟，实在戒不了的，一天不要超过 5 支。我们一个研究生专门研究过烟，发现一个规律，吸烟量多一倍，危害为四倍。如果每日吸，不超过

5支烟，危害很有限，超过5支烟，危害就明显增加。吸烟的危害是与吸烟量的平方成正比，即吸烟量增一倍，危害达四倍，吸烟量增两倍，危害达九倍。抽烟的人们经济消费也是很可观的。如果一个人每天吸烟花费5元钱，一年就近2 000多元。这些钱可购一身像样的衣服加一双皮鞋。一辈子吸烟烟费加医疗费超过一套中等住房。

酒是柄双刃剑，少量是健康之友，多量是罪魁祸首。近年来欧美以及中国有不少科学研究指出，**适量饮酒对身体有好处**。香港的科研人员经研究发现，适量饮酒可以增加生活情趣。90年代初，法国的一份研究报告说，法国人爱吃肥腻食物，但患心血管病的机会比美国人低，原因是法国人爱饮葡萄酒。少量饮酒可延缓动脉硬化，预防部分心脏病。酒里面的主要成分是乙醇，营养物质极少，但乙醇经肝脏代谢会转化成热量，大量饮酒会使人发胖，升高甘油三酯并消耗人体维生素B，影响人体钙的吸收。大量饮酒还会伤肝，导致心血管病大量增加。尤其是每年节假日期间，医院急诊室都有一种"每逢佳节倍失亲，常使欢乐无踪影"的气氛。一位32岁的飞行员，节日在亲友家酒宴过后，兴奋异常，不到半小时，胸痛出汗，突发广泛前壁心肌梗死。另一位拖拉机手，因为村长感谢他劳苦功高，天天轮流设酒宴招待，他终于为嘴伤身。一天酒后，他上腹剧痛，上吐下泻，全身冒虚汗，四肢冰凉，在送往城里医院途中死亡。尸解证实为急性坏死性胰腺炎，凶手是"饱餐、酗酒、激动"三联症。

对于那些平时有"好几口"习惯的人，如果合理地喝、科学地喝，对身体是无害的。怎么做到科学地喝呢？一是要喝低度酒，如啤酒、葡萄酒；二是量要控制，每餐饮酒酒精含量不超过 15 克(相当于 50～100 毫升葡萄酒，或一罐啤酒)；三是勿空腹，勿与碳酸饮料共饮。另外，孕妇、服药期间的人，以及患肝病、消化性溃疡、心脏病的人都不宜饮酒。

♥ 健康第四大基石——心理平衡

+ 心理平衡是健康的金钥匙
+ 百岁之道：心宽，体勤
+ 抗癌良方：心理平衡

心理平衡的作用超过一切保健措施的总和。大家别的都可以不要注意，你只要注意心理平衡，就掌握了健康的金钥匙。在北京调查了很多 100 多岁的健康老人，他们是怎么健康的呢？是吃的好还是钱多？不是。健康老人很奇怪，有人早睡早起，有人晚睡晚起；有的老人不吃肉，所以健康；有的还爱吃肉，专吃肥肉；有的健康老人不抽烟，但有的抽烟；有的不喝茶，有的喝茶。生活方式和习惯五花八门。但有两条健康老人都一样，第一条每个健康老人都心胸开阔、性格随和、心地善良，没有一个健康老人心胸狭隘、脾气暴躁、鼠肚鸡肠、钻牛角尖。为什么呢？因为心胸狭隘、脾气暴躁的人活不到 100 岁，五六十岁就一个一个死了，要么得癌，要么得心血管病死了。第二条，**没有一个健康老人懒惰**，这是真的。要么爱劳动，要么爱运动。正好印证了英国一句谚语：没有一个长寿者是懒汉。那么为什么心理平衡这么重要？我们平常讲的动脉硬化、冠心病、脑卒中，其实都是慢性病，动脉不是一下子硬化的，动脉硬化要几年、十几年甚至几十年才把血管堵死了。我们一般人到了 50 岁，因动脉硬化每年血管都大约会狭窄 1% ~ 2%，如果你抽烟，或患有高血压病、高脂血症，可能狭窄 3% ~ 4%或更多，若是要生气着急，一分钟动脉就可能痉挛狭窄 100%，当时就死，情绪就这么厉害。

文献报道一个 53 岁男人回家，一推门进去，儿子、妻子正吵架，吵得厉害，他刚想劝几句，还来不及开口，儿子盛怒之下操起水果刀冲妈妈心脏一刀捅过去，从前胸捅穿胸壁，捅破心脏，当场把妈妈一刀扎死。他看见后一恐惧，倒在地上当时就死了。法医解剖发现这位 53 岁的老先生动脉没有硬化，很光滑，那他怎么会突然死了呢？原来是冠状动脉痉挛闭塞，整个心脏处在高度收缩状态，心跳骤停造成的。报纸上还登过埃及一件事。医生玩忽职守，不负责任，看到病人昏迷，瞳孔放大，以为病人死了，将其送进太平间。病人一到太平间醒过来，发现自己怎么睡在棺材里面，吓坏了，顶开盖子吃力地往外爬，正一只脚在外一只脚还在棺材里面时，有一位护士推开停尸房门，没有思想准备，一看怎么从棺材里爬出一个活人。看到那人痛苦的样子，吓得惊叫了两声，想往外跑，还来不及跑出去就倒下死了。这个病人倒是活了，他告了这个医生，说我没死，怎么就拿我当死人了。法院判医生犯了渎职罪，玩忽职守，判刑三年。有时候一句话要一条命。我们医院病房礼拜六探视，有位老太太来看老先生，本来挺好的，买了水果高高兴兴，而她一句话，差点要了老头一条命。老太太说昨天晚上中央电视台新闻联播，东欧发生政变，齐奥塞斯库被枪毙了。老先生挺认真，说这种做法胡来，老太太也挺认真地说："活该，应该枪毙。"老先生说："他不应该枪毙。"两人为了齐奥塞斯库该不该被枪毙争论起来。结果不到三分钟，老先生胸疼，脸色苍白，满头大汗，不行了，赶紧找医生做心电图，打上一针溶栓药，这个药还挺好，半个小时化开了，最后不错，老先生完全恢复了。到出院那天，老太太给我们送了一面锦旗，感谢救命之恩。她说，这回我真的知道生气的危害性了，我可以向你们保证，往后我们俩绝对不吵架了，以后老头说什么我就听什么。老先生过去"妻管严"，别的不怕，就怕这个老太太。这回老先生因祸得福，他再说话，老太太也不敢跟他顶了。

　　情绪的波动确实很厉害。有个教授跟研究生生气，年轻人不听话，老教授很生气：你一个博士生还没毕业，就这样蛮不讲理，他很生气，一拍桌子脑血管当时就崩了，半身不遂，胳膊抬不起来了，腿也不行了，坐不住，歪着歪着扶不住就倒在地上。而这个年轻人却站起来说："我可告诉你，法律有规定，气死人不犯法，我走了。"我不讲这个年轻人的道德，而是说跟年轻人生气没必要，他不听话，让他不听话，生活会教训他，他头撞南墙后自然听话，你没必要跟他生气，因为情绪波动，血压猛然升高，会造成严重后果。我们治过一个病人就为一只蚊子引起高血压。这位老先生刚从国外回来，到深圳去旅游，10点钟准备睡觉，屋里面有只蚊子。他60多岁的人打蚊子，蚊子那么好打吗？打到清晨4点钟总算把这只蚊子打死了，他想，我得先躺半个钟头，看看客厅里还有没有第二只蚊子，听了半个钟头没事，就睡下了，可就睡不着了。他因为一直坚持吃降压药，平常血压120毫米汞柱，天亮了测试血压196毫米汞柱，高了76毫米汞柱。他心想，医生告诉我药量可以加倍，于是加倍吃药，还不行，再加一倍，结果加到8倍药还不行，赶紧上医院，打了点滴才把血压降下来。虽然脑子没出血，但鼻子还是出血。为了一个蚊子，血压就升高76毫米汞柱。

人的心理状态很重要，得病与康复因人而异，有些人不容易得病，有些人就容易得病，这与心理状态关系极大。我们的疾病在很大程度上受心理影响。东北有个病人38岁，一天肝区疼，去做B超，医生告诉他："不行了，肝脏长了一个癌，7公分，转移了。"他一听当时脸色苍白，摔在地上，站不住了，腿都软了。到家以后，一宿没睡，心想：孩子才8岁，我死了以后，孩子谁来抚养。整宿没睡，到天亮更疼了。去到医务所一看，医务所大夫还挺好，很关心他，说："肝癌晚期，我也没办法，不过我倒有个好建议：你喜欢吃什么，就赶紧吃什么；你喜欢玩什么，赶紧玩什么，反正没多长时间了。"拖了40天，瘦了20斤他就成了皮包骨头，下不了床。工会主席赶紧提了水果去看他，问他有何要求，他说："我最大的遗憾是没有见过北京天安门。去不了，我起不来了。"不要紧，破例。四个小伙子用担架抬他上了火车，看完北京天安门，该回去了，有人说既然到北京了，看看有什么好的医生，好的办法。结果到一家医院，一个老教授是我的一个同学，一辈子做B超，极认真，仔细给做完了，说："你下来吧。"他问："什么病啊？""你没病。""我怎么没有病，我肝疼啊，都快死了。""你是被误诊为肝癌吓出来的。很多人都像你一样，肝囊肿，被诊断为癌症，结果精神崩溃一病不起了。实际上什么也没有。"医生跟他这样一解释，四个小伙子一听，可高兴了，你原来没病，我们抬你干什么，抛下担架就跑了。医生告诉他："你这种情况多了，我给你证明，我能负责，你放心。"这样他慢慢地相信了，回到东北又能吃喝，又能上班了。幸亏他想看天安门，他要不想看天安门早变成骨灰了。

我还看过一个病人。有一天他来看病，他说疼啊，闷啊，憋气啊，很难受。我很奇怪：起搏器挺好，不应该疼啊，一切都正常。他说："我对你实话实说，前天碰到一个朋友，他说你最近怎么了，我说我在安贞医院装了个起搏器花了 38 000 元。他说：'你什么病装起搏器啊？'我说：'医生说了，是Ⅱ度Ⅱ型房室传导阻滞。'他说：'唉！你这种病根本不用装起搏器，花点钱，是小事，问题是电极头带倒钩，钩住你的心脏，钩住你的肉，疼啊。要是电线万一断了，可不得了，沿着血流跑，血流到哪儿，它堵在哪儿，起搏器装在肺里，压迫你憋气让你出不来气。'"病人回家一想，果然感到那人讲得对，疼，觉得起搏器前面那个电极带倒钩，钩住他的肉，胸闷、憋气、难受，真上不了班了。我说不会，为什么呢？因为起搏器电极是伞状没有倒钩。就算有倒钩，心内膜上没有痛觉神经纤维，也不会疼，起搏器电线高科技制成根本不可能断，起搏器并不是装在肺里，它装在胸大肌下面，是在胸廓外，所以根本不可能堵，不可能疼。他说就是疼。我说："没关系，我给你开点药调理神经，睡眠不好，用法国进口的'忆梦返'，4 元钱一粒，准好。"再过两个礼拜来复查，问他好了吗？他说："不见好，还是疼，上不了班，出不了气，难受。"本来他很好，什么症状都没有，结果呢，被人一说，他信了，现在全身都难受，怎么解释也不行。最后一个外国人救了他。他单位组织一个代表团去美国考察，他也一起去了美国，大使馆很不错，真给他找了个美国专家，100 美元挂个号。他说："我就问按你们美国标准，我这个病该不该装起搏器。"美国医生给他查得详细，说可以告诉他两句话：你这病按美国标准，应当装起搏器；第二句话，我们医生分为两派，

44

一派认为应该装，一派认为不应该装，可以明确告诉你，认为应该装起搏器的医生是世界水平的医生。他一听这话，原来美国医生、权威专家也认为应该装起搏器，这就行了，他就放心了，回来就不疼了，再不闷了，也不憋气了，高高兴兴去上班了。可见语言的力量有多么大。

暗示作用非常强大。医学上，暗示和自我暗示都是正常的生理现象。人群中约有三分之一的人有较强的暗示和自我暗示效应，他们容易无条件地、非理性地接受一些观念和说法，产生一系列的生理效应。比如让某人手拿一支铅笔，在暗示环境中告诉他，你手中拿的是一支烧红的铁棒，他的手指皮肤就会充血、发红，直至起水泡。比如医生治高血压，发给病人一粒半黄半绿、非常漂亮的胶囊。告诉他这个降压药从美国进口，非常好，你吃了下个礼拜来检查，血压一定能下降。其实里面装的是淀粉，但下礼拜一看，很多病人血压真的恢复了正常，睡觉也好了，非常满意。胃大部切除病人疼得不得了。医生说：给你打止痛针吧，打吗啡最好，一打就好了。其实打的是生理盐水，但病人打完后真的他就不疼了。手术后的创口剧痛，打上生理盐水，40%的人可以止疼；就是真的打吗啡，只有95%的人不疼，还有5%的人不管用。这就是暗示的作用。

美国人治癌症，一个一个地治时，病人死得快。怎么治好呢?小组治疗。癌症病人每礼拜来一次聚会，七八个人一组，大家一起聊聊天，说说话，心里有什么难受，尽管说出来，敞开心扉，互相鼓励、帮助。经过这样一个小组疗法，大家心里很高兴，心态很好，有信心，结果化疗副作用很少，死亡率很低，存活率提高。北京为抗癌明星作过总结，本来只能活半年一年，结果活十几年都好好的，医生奇怪，怎么这么重的癌症病人还活得那么好呢？原因是他们每天都在公园活动，高高兴兴地聊天、跳舞，成立"抗癌俱乐部"，充满信心和希望。没有一个人说我是用好药延长寿命的。个个都说，我心情很愉快，充满信心，我对未来充满希望，我一点不害怕，我们大家心里过得很快活。这些抗癌明星能对抗疾病、延年益寿有两条重要因素：第一条，他们全都心态良好，心理平衡；第二条，他们都有一个和睦的家庭，家人很关心，单位很关心，有一个强大的社会支柱。这是主要的，药物是次要。

良好的心理状态就是最好的抗癌方法。实际上一个人心理平衡，什么病都不容易得，即便得了病好得也快，任何病都是这样。心理的力量非常非常强大，有时强大得你不可想像。最近我们有个心肌梗死病人，他因为在外省，大面积心肌梗死，室壁瘤，里面还有血栓，医生说这个没有办法，惟一的希望是上北京安贞医院做冠脉搭桥，把室壁瘤切除了。在我们科住院，我说："你要做手术可以，但要做一个心肌存活试验，如果心肌还有存活的，搭桥就有效；心肌都死亡了，搭桥也无效。"可是一做试验，同位素显示没有存活的心肌。哎呀！这下完了。刚巧那天我们有堂健康教育课，每月一次，结果听了这堂教育课，他说："听了这课，胜读十年书，灵魂受到很大震动。我当了一辈子银行行长，不知道什么是健康，怎么得到健康，怎么去做才健康。现在才知道，健康四大基石太好了。"他回去后自己写了几句话：第一句，忘掉过去。因为行长过去是高朋满座，车水马龙，前呼后拥，现在不做行长了，如果经常想到过去，心里就难受。第二句，不看现在。新行长比他当行长时还威风，再与新行长比更生气，所以不看现在。第三句，享受今天。每天养花养鱼，听广播，散散步。第四句，展望明天。行长听了我们的课，知道冠心病人若好好保养，能活90多岁，很高兴，所以决心忘掉过去，不看现在，享受今天，展望明天。结果将近两年了，行长回来复查，一照片子，心脏明显缩小。放射科的大夫说："错了，片子拿错了。"我说："没错，要么重照。"重照后，心脏还是明显缩小，放射科大夫说：哎呀，我可一辈子没见过，两年前，心脏这么大，能活到现在就很少，现在心脏只能更扩大，怎么会缩小呢?真是第一次见到。给他做超声心动图，显示心脏明显缩小，心功能明显改善，血栓消失。他现在天天爬山，活得很愉快。

人啊，只要有个良好的心态，就不用害怕疾病。人本来有很强的抗病能力，很大的抵抗力，精神一崩溃，就全完了。有位院士，有人告诉他一个消息，某某人死了。这个人原来是他的秘书，相处非常好。他一想，跟我这么多年，得了这种病，死了我还不知道，感到很难受，晚上这位科学家也死了。所以心理状态对于疾病的发生、发展关系很大很大，癌症、冠心病、高血压病、糖尿病都有可能由此而发生。因此稳定心态很重要。如何保持稳定的心态？要正确对待自己，对自己人生坐标的定位要定准，要到位，不要越位，不要错位，也不要自卑不到位；另外正确对待他人，正确对待社会，永远对社会有种感激之心，这个要做到了，好多事都能解决。人对社会有两种态度。一种人永远用乐观的、积极的态度看世界，天天都是春风桃李花开日；一种人用悲观的、消极的态度看世界，天天都是秋雨梧桐叶落时，如果你用悲观消极的态度看世界，这世界很可怕。现在改革开放，很多利益在调整，不稳定、不平衡的事太多了，你怎么来看？如果你悲观看世界，天天都在生气，从早到晚，每一件事都能活活把你气死，值得生气的事太多。相反呢？要是乐观看世界，说实在话，我们现在这个时代，是共和国成立以来最好的时代，国家经济、政治、军事、外交、人民生活从没有这么好过。如果你想要高兴的话，就要从早到晚乐观看世界。所以一个哲学家讲过："生活像镜子，你笑它也笑，你哭它也哭。"你遵循健康规律，一生平安；你违背健康规律，肯定碰得头破血流，你就是国王、皇帝，一样死得比百姓还快。

健康面前人人平等，不以财富地位而有所变化。我们科里来了一位大款病人，亿万富翁，是一个公司董事长，38岁，广泛心肌梗死，救活了，室壁瘤，心脏很薄，不能使劲。正常心室壁厚 10 毫米，他的才两个多毫米，跟牛皮纸一样。因此这个心脏很危险，不能咳嗽，不能使劲，一咳嗽一使劲心脏就破，所以他不能咳嗽，大便不能使劲，拄着拐棍很小心。有一天我问他："你有什么问题百思不解呢？"他说："为什么上天对我这么不公平？人家 38 岁不得病，80 岁都没得病，怎么我 38 岁轮到这么要命的病，怎么这样倒霉？"我说："据我所知，上天是最公平的。自然规律是一样的，人世间很多事不公平，但老天爷是公平的。你为什么得病？很简单，健康四大基石，合理膳食，适量运动，戒烟限酒，心理平衡，你违背了这些规律。"他的血抽出来立即凝固，血液太黏稠了。另外，抽出的血放了 8 小时，上面厚厚一层油，他有很重的高脂血症。他体重 188 斤，腰围 3 尺 3 寸半。我对他说："第一，合理膳食，而你这个大款天天大吃大喝，山珍海味、生猛海鲜，你膳食不合理，所以 188 斤。第二，适量运动，你出门就坐奥迪，有时坐奔驰，起码坐桑塔纳，上二层楼都得坐电梯，不运动。第三，戒烟限酒，你一天两包烟，顿顿都喝酒，恣情随意，烟酒无度。心理平衡，你哪里有心理平衡？你身边多少女秘书，你平衡得了她们吗？好，你今天拉着小秘的手，心里就颤抖，心动过速；你明天拉着情人的手，血压往上走。你大哥大、BP机身上挂，白天呼你，晚上叫你，挣了钱你就激动，赔了钱你就着急，你天天没有心理平衡。健康四大基石你条条对着干，你不得心肌梗死，谁得心肌梗死？这正好说明上天公平，健康面前人人平等，谁违背谁倒霉，谁顺应谁健康，这就叫好人一生平安。

♥ 健康"养心八珍汤"

✚ 送礼不如送健康
✚ 心态平衡最幸福
✚ 健康不靠高科技

　　什么叫幸福？幸福没有标准。我的一个研究生专门研究"老年幸福度"。老年人怎么才能幸福呢？有人认为老年幸福不用研究，钱多肯定幸福；房子大，地位高，肯定很幸福。而做出的研究结果正相反。有个名大学的名教授，生活却最痛苦。怎么会很痛苦呢？夫妻俩两个孩子都在美国，那多好啊！老教授有一天下楼梯，最后一级滑了一跤，手撑一下，股骨颈骨折。老太太身体不好，不能帮老头翻身，雇个小保姆，又做不好。时间长了，老教授长出褥疮，前列腺肥大尿不出来，插导尿管。一个个亲人都在美国，这里是孤苦伶仃、冷雨敲窗、青灯对壁，除了一个老太太还有谁？想说话的人都没有。孩子在美国好倒是好，只能圣诞节寄张卡片给你，管什么事啊！教授非常痛苦，精神状态不好。相反谁最幸福、最高兴啊？北京蹬平板车、蹬三轮车的板儿爷最高兴。他怎么最幸福呢？板儿爷虽然住的是平房，早上一起来，两手提着两个鸟笼，上公园遛弯儿去了。

一边唱京剧，一边遛弯儿，回来一碗豆浆，两根油条，挺好，高兴。板儿爷的儿子初中毕业，在马路对面修自行车；闺女呢，胡同口卖酱油呢。所以他们可以常回来看他，有点头疼脑热，一家人都来看他，买点水果、点心，一家子有说有笑，儿孙绕膝，尽享天伦之乐。板儿爷说过去我棒子面都吃不上，现在不光吃水果，还能吃点心，每天有说有笑，非常高兴，而且没有丁点难受，闺女也在，儿子也在，挺孝顺。你那个教授儿子只在圣诞节寄一张卡片，管什么事啊，你再哭都没有人理你。

所以家庭在心理平衡的保健作用中占很重要的位置，只要全家都能协同作战，保健就会事半功倍。只有家庭健康了，社会才健康；家庭幸福了，社会才幸福；家庭安定了，社会才稳定。所以说，在个人健康的基础上，家庭健康才是我们最应该关注的。

对于家庭健康和谐，我们暂且把它分成**幸福三部曲**。

第一部是关于家：世上只有家最好，男女老少离不了，男人没家死得早，女人没家容颜老。有家看似平淡淡，没家顷刻凄惨惨，外面世界千般好，不如家里呆一秒。

第二部是话疗：说起话疗真奇妙，防病治病都有效。一聊双方误解消，二聊大家心情好，三聊能治血压高，四聊能把肿瘤消。话疗疏解郁闷气，话疗提高抵抗力。天天话疗三四起，家家快乐甜如蜜。

第三部是关于男人：关注的焦点锁定在辛苦的男人。现在是男人比女人死得早。2001年北京市人均寿命是74岁，而男人的平均寿命是70岁。为什么？因为男人有泪不轻弹，男人有话不爱说，男人有病不去看，男人有家不愿回。社会工作的繁重让男人的身体和心理都承受着很大的压力。

怎么样缓解男人压力？方子还是家：男士想要身体好，下班回家半小跑，一杯清茶一张报，夫妻灯前把话聊。

人的幸福，没有一个绝对的标准，因此我们要做到心态平衡。80年代送礼送点心，90年代送礼送鲜花。我管的病房里现在没有送点心的，都是送鲜花。21世纪，送礼送什么呢？21世纪最宝贵的是健康。怎么送健康呢？最健康最好的就是"养心八珍汤"。"养心八珍汤"那是真正健康心灵的八珍汤、八味药。第一味药：**慈爱心一片**。人要对世界充满爱心，如果对世界不充满爱心，那这个人不能算做人。第二味药：**好心肠二寸**。一个人既要对世界充满爱心又要善良，肯帮助人。第三味药：**正气三分**。人都要讲正气，江总书记关于"三讲"中就有讲正气。第四味药：**宽容四钱**。宽容比正气要多。因为人皆非圣贤，多有不足，你要不宽容不行。人必须度量大，对他人宽容。第五味药：**孝顺常想**。我们做老年幸福度调查，影响老年人幸福最主要的因素不是金钱、地位。有一个孝顺的子女在身边，是所有老年人最幸福的首要条件。不孝顺的子女不行，那种子女多了也没有用。关于孝顺，一次我碰到香港一个经理，跟我聊，我说你们选员工怎么选啊？我本来以为香港合资经营企业的选人标准肯定是外文好、会电脑。"不是，我选人最重要的标准是看他是否孝顺，他如果连父母都不孝顺，他能对别人好得了吗？他肯定是白眼狼。因此我选人，头一个看他是不是孝顺，凡是孝顺，必是好人，他不做违背道德的事，因为他孝顺父母，他一定好。"孝顺是东方美德。第六味药：**老实适量**。人也不能太老实，太老实变成傻子也不行，但是不老实也不行，老实只能看情况适量掌握。第七味药：**奉献不拘**。奉献越多越好。第八味药：**回报不求**。做了好事，不求回报，这就是雷锋精神。把这八味药放在"宽心锅"里炒，文火慢炒、不焦不躁，就是经常慢慢思考，再放"公平钵"里研，精磨细研，越细越好；三思为末，淡泊为引，做事要三思而行，还得淡泊宁静；做成菩提子大小，和气汤送下，清风明月，早晚分服，可净化心灵，升华人格，陶冶情操，调适心理，物我两忘，宠辱不惊。

"养心八珍汤"有六大功效：第一，诚实做人；第二，认真做事；第三，奉献社会；第四，享受生活；第五，延年益寿；第六，消灾去祸。我想心理要平衡，一个人既要奉献社会，还要享受生活。过去光提奉献不对，还要享受生活。这里的享受是指他需要更多的业余爱好。知识面宽一点，有越多的业余爱好，那么他心理越容易平衡。就怕心里太窄，因为我们现在很多医生只看病，不会看病人。你怎么不好？高血压。还有什么不好？抓点药走吧。他把病人当作一种机器，千篇一律。实际上人跟人不同，心理状态、性格相差很多，你必须看病人才懂得调整他的心理状态，解决他的问题，不然，病就看不好。那么这需要医生有广博的知识。马寅初老先生讲过两句话："宠辱不惊闲看庭前花开花落，去留无意漫观天外云卷云舒。"梁启超给谢冰心写过："世事沧桑心事定，胸中海岳梦中飞。"世界上虽沧桑变化，我心事定，无论你怎么变化，我心里有数；心里各种烦恼的事啊，做一个梦，睡一个觉就过去了。这就是度量。张学良将军1932年就是国民革命军副司令，海陆空的副总司令，仅次于蒋介石，1936年却成为阶下囚。如果心理不平衡，度量小，十个张学良都死了，而他无论受多大的挫折，都能维持心理平衡。诺贝尔奖获得者李政道教授，在中科院为他举行的70岁生日庆祝会上，说了两句话："我一辈子做人、做事以杜甫'细推物理须行乐，何为浮名绊此身'两句为准则。"仔细推敲世界上的万物道理，做一些快乐的事情，做一些自己喜欢做的、高兴的、有益的事，不必为了一些空名而放弃自己喜欢做的事。

一个人心态好，世界上的一切都变得很美好。比如我今天高兴，全身心都很轻松，走到马路上，就会感到阳光格外明媚，蓝天更加湛蓝，空气更加清新，满大街的人好像都很高兴；如果我自己不高兴呢，心里就很难受，山光水色也欣赏不了，山珍海味也没有什么味道，即使有一张最好的最高级的席梦思床，一万多元钱一张的床，躺在上面，也会翻来覆去整夜地做噩梦。心情不好，多好的东西都不行；心情好，一切都美好。所以杜甫讲过："感时花溅泪，恨别鸟惊心。"花鸟多好啊，为什么流眼泪、心惊肉跳呢？因为"烽火连三月，家书抵万金"。在打仗的情况下，家里亲人死活都不知道，一看到花鸟只能更伤心。白居易诗中曾写过："行宫望月伤心色，夜雨闻铃肠断声。"皇帝的宫廷多漂亮，月亮多好啊，但心情不好时那明月都是伤心的颜色；铃声多好啊，都是肠断的声音。为什么呢？因为唐明皇想到杨贵妃死了，他心里整天想念着杨贵妃，很痛苦。在这种心情下，行宫明月是伤心的事，铃声很好听，却是肠断的声音，就是说自己心态不好，一切都很灰暗，因此要保证自己有三个正直、愉快的心态，或者叫"三个快乐"：**第一助人为乐；第二知足常乐；第三自得其乐。**为什么要助人为乐？人生最大的快乐，是助人、帮助人的过程，可以净化灵魂，升华人格。我管的病房里经常住着一些大款，我经常劝他们：你有钱要知足，不要吃喝嫖赌，你吃喝嫖赌，得了艾滋病，死得更快，还没有药治。你有钱赶紧捐给希望工程，你把钱给老少边穷地区，他高兴，你高兴，全社会都好。有人说，我可助不了人，我没钱，怎么助人？你看某某比我更有钱，他地位还更高。我说，你可别这么比，这么比会气死人。他钱比你多，可是他风险比你大；他地位比你高，可他压力也比你大。事情是一分为二的，要知足常乐。另外，还要自得其乐。人生是风水轮流转，本来这个世界上，月有阴晴圆缺，人有悲欢离合，三十年河东三十年河西。没有一个人永远走运，没有一个人永远倒霉。巴尔扎克说过："苦难是生活最好的老师。"你现在倒霉，意味着光明在前面，所以你要自得其乐。祸福相依存，苦难是生活最好的教师，一个人要永远保持快乐的心情。

总的说来，健康对我们是最宝贵的。健康不能靠高科技，不能靠药物，**最好的医生是自己，最好的药物是时间，最好的心情是宁静，最好的运动是步行。**"最好的医生是自己"这话不是我说的，古希腊名医希波克拉底精辟地指出："病人的本能就是病人的医生，医生是帮助他的本能的。"你看我手上拉了一个口子，一会儿出血就凝固了，一个礼拜就愈合了；肠子坏了，截了一段，没事；肺坏了，切掉一叶，没事；肾脏坏了，那都可以治。人的身体有着强大的再生能力，只要你自己保持好的状态。最好的药物是时间，为什么呢？越早治疗、越早发现越好。我们有个病人患尿毒症，是 12 年高血压病耽误治疗的结果，后来做肾透析花了 90 万元。其实早治疗很简单，像早期高血压病一天一片药，三个月、半年就好了，费用小；如果耽误三五年甚至更长时间，那就不是一片药能解决的了，而是两种药三种药配合才行；再耽误几年脑出血，那就不是一片药、两片药管得住，就得穿颅打洞、抽血，所以要越早治疗越好。心肌梗死，马上去医院打一针药，半个小时、一个小时，好了，化开了；如果 6 个小时后，送医院，虽有一定的效果，但效果差；12 个小时后，溶栓药毫无效果，因为心肌都缺血坏死了。相反你早去，不用打15 000

元的药，1 500 元国产药就管事，所以说时间是最好的药物。那么，为什么说"最好的心情是宁静，最好的运动是步行?"其实很简单，正如我们前面所说：合理膳食，戒烟限酒，心理平衡，适量运动，再加人不胖也不瘦，胆固醇不高也不低。

最后，我们可以用四句话来总结：**一个中心，两个要点，三大作风，八项原则**。"一个中心"是以健康为中心。因为健康失去了，那你什么也没有，21 世纪就是以健康为中心。"两个要点"的第一要点叫糊涂一点。为什么呢?毛主席曾经高度评价叶帅：诸葛一生惟谨慎，吕端大事不糊涂。诸葛亮一辈子做事小心谨慎很周到，吕端这个宰相呢?大事不糊涂。有人告到皇帝那里，说吕端这个宰相老糊涂。皇帝说："他哪儿老糊涂，你才是糊涂蛋呢! 吕端这个宰相小事糊涂，大事清楚。"这是表扬真聪明的人啊。小事糊涂，但脑子一清二楚，他装糊涂。小事认真，整天计较一些鸡毛蒜皮的事，这种人才是笨蛋。所以糊涂一点。第二要点是**潇洒一点**。度量大一些，风格高一些，站得高，望得远一些，这种为人处事多好啊。"三大作风"：**助人为乐、知足常乐、自得其乐**，就能永葆快乐。"八项原则"就是四大基石、四个最好。四大基石：合理膳食，适量运动，戒烟限酒，心理平衡。四个最好：最好的医生是自己，最好的药物是时间，最好的心情是宁静，最好的运动是步行。遵从以上这些原则，基本上不用吃什么药，我们每个人都健康八九十，百岁不是梦。

最近我们总结了四句话，很简单的四句话："天天三笑容颜俏，七八分饱人不老，相逢借问留春术，淡泊宁静比药好。"只要我们这样生活，所有病都很少，我们都能健康 120 岁，健康享受每一天。

主讲　胡大一

　　男，1946年7月生于河南开封，主任医师、教授、博士生导师，享受政府专家津贴。

　　现任首都医科大学心血管疾病研究所所长，北京大学人民医院心研所所长、心内科主任，北京同仁医院心血管疾病诊疗中心主任，中华医学会心血管病分会副主任委员，中国生物医学工程学会心脏起搏与电生理分会主任委员。

课题 **打造健康，从"心"开始，从"动"做起**

♥ 构筑心血管疾病防治的广泛联盟

✚ 心血管病全球性负担
✚ 启动在青少年，发病在中老年
✚ "薄皮大馅的饺子" 更可怕

　　我正在干一件事——写一个首都心血管防治的总体规划的建议。我呼吁构筑心血管疾病的全面防线，组建心血管疾病防治的广泛联盟。目前整个人类健康运动正面临着战略大转折，从针对传染性疾病(结核、霍乱等)的第一次卫生革命转到针对非传染性疾病的第二次卫生革命，这个战略转折的重点是人类的心脑血管疾病的防治，心脑血管疾病的基础是动脉粥样硬化。这使我联想到英文里有个单词叫"global"，在这里可以理解为两层意思：一方面为"全球性"，即全球(包括发达国家与发展中国家)面临着心脏血管疾病特别是动脉粥样硬化的挑战；另一方面是"全身性"，身体内哪里有动脉血管，哪里就有可能发生动脉硬化。据 2000 年世界卫生组织报告：每年有 1 700 万人死于心血管疾病，即全球每 3 个死亡者中就有 1 个死于心血管疾病，这 1 700 万死亡者中的 80% 发生在低、中等收入的国家。到 2020年，因心血管疾病死亡的人数将比该数字增加 50%，高达 2 500 万，预计 1 900 万发生在发展中国家。2020 年心肌梗死与脑卒中将从目前死因的第 5 位与第 6 位上升至第 1 位和第 4 位。特别值得注意的是，发达国家如美国、一些欧洲国家、澳大利亚和新西兰的心血管病患者的死亡率正在下降，而在东欧、俄罗斯、中国、印度等国家与地区，心血管病死亡率却增长迅速。心血管疾病是全球卫生保健和卫生资源的巨大负担。

动脉粥样硬化的发病机制是一系列的发生发展过程，启动在青少年，发病多在中年以后。**其"上游"是多重危险因素(吸烟、高血压、血脂异常、糖尿病、肥胖、代谢综合征等)的流行，必须从源头治理。生活方式的改变是危险因素群集的源头。**贫穷的人吃不饱穿不暖，不会得这种病，如二战时的欧洲，心血管病就罕见。1953年在朝鲜战争期间，美国医学界公布的论文证实，对临床并没有冠心病表现的战死的美国士兵的尸检研究发现，相当多的死者心脏已有冠状动脉病变的早期征象，出现了脂纹或斑块，部分甚至有阻塞性病变，他们的平均年龄仅20余岁。1975年，对越南战争中战死的美国士兵的尸体又进行了此方面的重复研究，此时尸检的平均年龄仍为22岁。令人吃惊的是，12年过去，冠状动脉阻塞的征象上升至55%。而当年对朝鲜战争中战死的中国士兵和朝鲜士兵的解剖结果却恰恰相反，他们的冠状动脉壁很光滑，一清二白。

其实，这些美国士兵的血管病变早在童年时期就启动了，今天的美国青少年在无冠心病的情况下，68%已有了血管的轻度脂纹斑块，这个发现来自因车祸意外死亡的心脏移植后的血管内超声、造影检查结果。目前我国青少年正在重蹈美国大兵几十年前的覆辙，麦当劳、肯德基等洋快餐的大快朵颐，以车代步、拈轻怕重、超重式肥胖十分常见，三四十来岁的人心肌梗死不罕见，已占了心肌梗死住院病人的五分之一。

冠心病的常见表现之一为急性心肌梗死，它可致命，但发生心肌梗死时，一半以上的人没有先兆，没有任何思想准备。冠心病另一常见表现形式为心绞痛。心绞痛有两种类型：一种是稳定性心绞痛，一般不突发心梗；另一种是不稳定性心绞痛，它可以在稳定心绞痛基础上恶化加重，也可是无先兆的突发性心绞痛，特别容易发生致命的心梗或猝死。这是因为它们的发病机制不一样。以往的观念是错误的，过去人们错误地认为心肌梗死是由于血管狭窄的程度决定的。其实心梗不取决于冠状动脉狭窄的程度而取决于斑块的性质。稳定性心绞痛的患者大多数冠状动脉严重狭窄，≥70%的管腔塞住了，只有≤30%的空隙，这种血管中附着的是稳定的斑块，其中脂肪少，狭窄重，斑块内面覆盖的纤维帽子厚，就像厚皮小馅的饺子，煮的时候，比较安全，不容易破。而不稳定斑块作为导致突发心梗或不稳定性心绞痛的元凶却很危险，因为不稳定斑块虽然导致血管狭窄的程度轻，多数情况下，管腔才堵了20%～50%，但这种不稳定斑块内脂肪含量高，并且含有大量活跃的炎性细胞，纤维帽子薄，像一个薄皮大馅的饺子，特别容易破。这种不稳定斑块特别容易破裂而激活血小板，形成血栓，斑块加血栓导致冠状动脉腔狭窄的急性加重，甚至完全闭堵。所以，斑块是否稳定是心梗发病的决定因素。

目前每 100 个心梗患者中，就有 40~45 人因来不及抢救死在入院前。而在院内当时抢救成功的，有 14 人会在一周内死亡，现在所指的抢救成活率实际是指院内抢救成功的，其实活着出院的还不到一半。目前全世界都在研究怎样对付那 50% 没有症状的突发心梗，探求和寻找预测不稳定斑块的方法。有的专家建议用核磁检查，有可能查到蛛丝马迹；有的专家建议用导管插到心脏血管内去测温，因为不稳定斑块活跃程度高，因此局部温度也会较高，而稳定性斑块活跃程度低，因此温度较低，这些都处在研究发现阶段，并且创伤方法难以广泛用于筛查高危病人；还有的专家提出用经体表检测等其他无创伤方法，但也不理想。不稳定斑块破裂致残、致死在医学上称意外事件，稳与不稳就决定了事件的性质前程。逃过心梗这一关的病人，常常于 10~15 年后发生慢性心衰。慢性心衰患者目前已成为全世界最严重的负担，慢性心衰存活 5 年的还不到一半，其中男性存活不到 20%，女性则存活 50% 左右。

♥ 心血管病的五条防线

✚ "心脏病学奥运会" 预防在先
✚ 世界心脏基金会设立世界心脏日
✚ 五条防线构筑心血管病防洪堤

我刚刚参加完 2002 年 5 月 5 日至 9 日在澳大利亚

悉尼举行的第 14 届心脏病学学术大会。这个会每四年举行一次，被称为心脏病学的奥运会，特别关注发展中国家心血管疾病防治的现状与未来。有 82 个国家的 7 000 多名代表到会，其中发展中国家的代表超过了半数，有 1/3 来自亚洲国家，中国去了 300 多名医生，这次大会最重要的是强调了心血管病预防医学的重要性。

目前全球有一个非常权威的组织——世界心脏基金会(WHF)，这次会就是由 WHF 支持的。WHF 的宗旨是帮助全球各国人民通过预防、控制冠心病和脑卒中，延长人类的寿命，尤其关注发展中国家心血管疾病的防治。WHF 将每年 9 月 29 日定为世界心脏日，唤起公众关注心血管疾病，通过举办世界心脏论坛，组建防治心血管疾病的多个相关学科参与的非政府机构与政府相应的职能部门组成的国际性广泛联盟，构筑心血管疾病的全面防线。

这个全面防线包括五个层面：①防发病：一级预防，防患于未然；②防事件：保持动脉粥样硬化斑块稳定，预防血栓形成，预防急性冠状动脉综合征(ACS)和脑卒中等可能致残、致死的严重事件；③防后果：发生 ACS 等严重事件后，及早识别，及早干预，挽救心肌，挽救生命；④防复发：二级预防，亡羊补牢，为时未晚；⑤防治心力衰竭。

第一条防线　防发病——一级预防

- 综合治理多种危险因素
- 多学科与社区沟通联盟
- 干预血糖、干预血压、干预血脂

中国有句古话叫"防患于未然"，中国的《黄帝内经》几千年前就挑明了"上医治未病"。什么叫防未然、治未病呢?这就是一级预防，就是在没发病的时候去防病，就是对多重危险因素在源头的综合控制，就是将我们防病治病的重点从"下游"转到"上游"，这是一个非常重要的医学模式的转换。过去我们将大量人力、物力、财力放在溶栓、搭桥、介入等高科技的投入上，却对花钱少、效益大的一级预防的重视非常不够。在这个宝贵的机不可失、时不再来的一级预防上，我们再也不能等闲视之。

一级预防怎样去做呢?过去是对多重危险因素分兵进攻把守，往往事倍功半，因为很少人只有一个危险因素，往往是吸烟、高血压、血脂异常、糖尿病、肥胖、不良生活方式等多种危险因素并存。在横向上，心脏学科、糖尿病学科、神经学科、内分泌学科及老年病学科等应紧密联合起来，共同综合治理控制上述的多重危险因素。在纵向上专科医生应关注社区干预，与全科医生联防，加强我国社区医生的继续教育，这是科学研究→

院内治疗→院内急救→院前急救(社会、社区)多种医学功能的集合。结成广泛的联盟，筑起全面的防线，必须从一级预防下手。如高危的高血压病人(占 20%)，仅靠饮食、锻炼是不能控制血压的，必须用药物干预，而且要特别强调温和适度的锻炼；中危的高血压患者(占 10%)，改变生活方式如合理饮食与有氧代谢运动，锻炼的"口子"也可开大一些；5% 是低危的，即很轻的高血压病人，可以靠运动、控制危险因素等调整 6 个月，以观后效。要分析每一个社会个体的危险因素是什么，估计其未来 10 年发生心肌梗死或脑卒中的危险程度。如糖尿病合并高脂血症，这两个危险因素常常狼狈为奸，必须吃药治疗，必须同时有效改变不良的生活方式。对于没有糖尿病的轻度高血压病患者可以通过改变生活方式、限盐 6 个月后再决定是否用药。这里要特别提醒一句，在血脂异常的干预力度上，糖尿病和冠心病心肌梗死的危险程度等同 (称等危症)，切切不可忽视。

这里还要特别强调医院专科医生与社区全科(通科)医生的联防。现在很多人处于亚健康状态，当有疲劳、记忆力减退时，就要到医院去看，一个优秀的专科医生会给他开出综合性的健康处方，对其生活方式进行全面干预；但是很多人出了医院大门，又被工作生活的惯性卷进了旋涡里，这就急需社区医生干预和把关，由社区医生盯着他去实施健康处方。社区医生也有个轻重缓急，轻的不用老去看，打打电话监督就行。老百姓往往忽视自己身边唾手可得的社区医生，一点小病就上大医院，巴不得认识个大医院的名医为自己排忧解难，可越是大医院越是名医他就越忙，最正确的是选一个优秀的社区医生作为自己的"私人医生"，经常与他沟通。

医院的专科医生与社区的全科医生联盟，还有很重要的一点就是病人可获得连续性治疗，而不至于医院开了药，制定好了方案，回到社区就都变了。比如目前在某些地区的二级医院，他汀类药是自费药，这种药一会儿吃，一会儿停，比不吃还坏；有些社区医生过分顾虑他汀类药存在的很少见的横纹肌(溶解)或肝脏损害的危险，不敢用药；还有些降血压药，病人在血压平稳后就把药停了，而不是持续合理用药，因为用药的失误，过一段病情重了，又得来住院，这个医疗资源的浪费很可惜。其实社区的全科医生和医院的专科医生是联盟关系、互相接班的关系。发达国家这一点就很好，每个老百姓都有社区医生。中国老百姓要更新观念，去寻找、去定位自己的社区医生。只有专科医生与社区全科医生在心血管疾病防治上认识一致，行动一致，才能保证心血管病防治实践的连续性。

一级预防最基本的措施是**改变不健康的生活方式。**WHF 宣布 2002 年世界心脏日的主题是"生命需要健康的心脏(A Heart for Life)"，鼓励公众增加体育活动，提倡有氧代谢运动(走路、跑步、跳绳、骑自行车、滑旱冰、球类等)，提倡健康饮食与戒烟，特别推荐跳绳作为有氧代谢运动的简便方式在全球开展。

一级预防的重点有三个：**干预血糖、干预血压、干**

预血脂。

对于血糖的干预，内分泌专家呼吁甚至应在非糖尿病的患者中进行早期识别与诊断代谢综合征。这些病人应接受强有力的行为干预，改变生活方式，对降压降脂的治疗更加强化。

对于血压的干预，高血压患者的血压应控制在140/90毫米汞柱以下，但目前控制得最有成效的美国为27%，英国仅为6%，而对预后意义更大的收缩压的控制更差。

1998年6月在荷兰首都阿姆斯特丹与香港两地，同时宣布了一项国际"高血压理想治疗"(HOT)试验的结果。试验对26个国家的18 790名高血压患者进行了平均3.8年的随访，结果表明：①防治高血压病患者发生急性心肌梗死、脑卒中和其他心血管性死亡的最佳血压值为139/83毫米汞柱，如果能将血压降至这个水平，可在每1 000例患者中预防四起由上述原因导致的死亡；②如果血压继续下降，低于139/83毫米汞柱，也未见风险增加；③显著降压对糖尿病及缺血性心脏病的二级预防，会带来明显益处；④阿司匹林在高血压患者尤其高危人群中，可明显减少心脑血管事件，并且安全，未引起脑出血等严重并发症的增加。

干预血脂异常是一级预防的重中之重，也是贯穿五条防线始终的主线。心脏病学专家正在验证一个解读心脏保护的假说，这就是可能没有统一固定的目标胆固醇水平，而应综合考虑病人具有的危险水平，干预的是危险水平，而不是单一的血脂水平。有学者提出，"他汀就是新的阿司匹林"，对于已患冠心病的患者或高危人群，应广泛使用，但对于使用他汀类药的争论仍有待更多的临床试验证据来回答。目前对血脂异常的干预达标率很低，以他汀类药为主线的调脂药用得太晚、太少，剂量太小，时间太短。50%的病人1年后停药，90%的病人5年后停药，以往接受介入治疗的病人合理使用他汀类药者不足四分之一。

第二条防线　防事件

- 调脂(他汀)防线
- 防栓（阿司匹林、氯吡格雷、低分子肝素和戊糖等）防线

　　发生心肌梗死、脑卒中等严重事件的基础是"不稳定斑块"及其破裂后引发的不同程度的血栓，前面说过，半数以上事件并无先兆而突然发作，目前尚无预测手段。

　　防事件对于稳定斑块的患者（见于稳定性心绞痛）是保证其斑块继续稳定，不向不稳定的方向发展，对于不稳定斑块（见于不稳定性心绞痛或急性心肌梗死）是促使其向稳定转化，防止发生心梗及脑卒中。防事件的核心是两个"防"，第一是构筑一条调脂（他汀）防线，这会使原来稳的更稳，原来不稳的向稳定转化。他

汀类药物除降脂作用外，可能具有另外附加的稳定斑块的作用，即通过改善血管内皮功能的作用、抗炎作用及其他等促使斑块稳定。**第二是抗栓，最便宜、最有效的百年老药阿司匹林，预防用量 75 毫克至 80 毫克每日 1 次，晚上睡前服。**但在不稳定心绞痛或急性心肌梗死发病时，第一次阿司匹林剂量不应小于 150 毫克，应将药片嚼碎服下，以便尽快起作用。"高血压理想治疗"试验结果表明，在满意控制血压的同时，每日服用阿司匹林 75 毫克，可使心肌梗死的危险降低 30% 左右，而不增加脑出血的危险，但可能使脑以外的其他部位出血，如胃肠出血增加两倍。总体上讲，充分治疗高血压，联合使用小剂量阿司匹林对预防心肌梗死有益。但应注意两点：①应在把血压控制在满意水平基础上联合用阿司匹林；②注意减少出血并发症，有溃疡病史者，尤其是老年病人应更加小心。目前抗栓治疗又有了新思路，对于不稳定性斑块（临床表现为不稳定性心绞痛）单用阿司匹林不够，对于这些高危病人还应**联合用上氯吡格雷**。氯吡格雷副作用小，对胃刺激小，对减少白血球的威胁小。现在已成为冠心病介入治疗(PTCA，球囊扩张支架)前后的常规用药。

强化抗栓还常采用低分子肝素干预，这一治疗仅需短期应用，专家们强调长期使用阿司匹林与氯吡格雷是持续有效的干预，有需要进行早期介入干预的高危病人，还应联合使用**静脉 GP Ⅱb／Ⅲa 受体拮抗剂**。

对于后果严重的静脉血栓栓塞和心房颤动的血栓栓

塞，阿司匹林的疗效较差，不如华法林，但使用华法林时，一定要定期监测用药后的抗凝强度，采用的指标是国际标准化比率（INR）。INR过高（>3.0)，易出血；过低（<2.0），常疗效差。目前正在研究一种新的直接口服的凝血酶抑制剂(ximelagatran)，口服后迅速转化为有效代谢物，无需监测，更加安全可靠有效。围绕该药的临床研究从四个方面展开：①大骨科术后的静脉血栓栓塞预防；②静脉血栓栓塞的治疗和二级预防；③非瓣膜心房颤动的脑卒中预防；④急性冠状动脉综合征后，预防死亡、心梗和严重脑缺血复发。

第三条防线　防后果

- 有胸痛上医院
- 尽快开通"罪犯"血管
- 谨防心梗三误区

　　这里我要送大家一句警言"有胸痛上医院"。冠心病最常见的表现为胸痛，急性心梗半数以上无先兆，而以突发的胸闷胸痛为表现。从血栓形成到血管供应的心肌组织坏死，动物学实验是1小时，在人身上最晚是6～12个小时。所以我们心脏科医生的最重要的理念是"命系1小时"，这就是医学上常说的时间窗——即抢救的黄金时间。时间窗没抓住，病人将付出致残、致死的代价。我们要求在最短的时间内尽快开通导致梗死的

"罪犯"血管，溶栓要求在到达医院后半小时内进行，PTCA要求在到达医院后60～90分钟之内进行，如能在起病1小时内完成溶栓和PTCA，即使用最先进的检查技术也查不到梗死的痕迹。抢救所用药物（溶栓药）或器械（如支架）的成本是固定的，治疗越早，挽救的心肌越多，挽救的生命越多。**所以时间就是心肌，时间就是生命**，丢失了时间就是丢失了生命。

目前即使在发达国家，如瑞典是全民保健，急救设施和措施十分完备，真正能早期及时实行PTCA干预的医院仍很少。我们目前也差得很远，病人到医院，会碰到不同水平的医生，往往是病人来得越早，临床表现越不典型，从看急诊——办手续——交钱——确诊——监护室——导管室，其中有很多消耗宝贵时间的致命的薄弱环节。1995年我最先呼吁并建立起心血管病抢救的绿色通道，由心脏专科的医生24小时全天候诊，导管室的钥匙直接握在手中，对病人家属讲明急性心梗的致命性和可救治性，讲明费用，不预收费用，先抢救生命，后补交费用，因为急性心梗病人"命系1小时"，中间环节太多，生命就没有了。

还要说明一点，绿色通道绝不是欠费通道，有人说心梗是一种"富贵病"，先富的人先得病，这部分病人不会欠款；有人说心梗是中老年人的病，这一部分人有儿辈、有孙辈，有部分人享受公费医疗，孩子们大都孝敬，很快也能将钱凑齐。救了病人的命，病人感激都来不及，欠费的可能微乎其微。而一般急诊条件下做 PTCA 常常只开通"罪犯"血管，也就是用一个支架，约花费 3 万～4 万元，救一条命，值。但对于稳定性心绞痛往往会放一个以上甚至三个支架，费用就高了。"有胸痛上医院"，这个口号标志着院前急救理念的普及，从 20 世纪 80 年代起，这个理念就在加拿大、意大利比萨市广为流行。1987 年我从美国回来后一直在宣传这个理念。目前在相当多的百姓中间存在着三个误区：一是**忽视心梗的紧急信号——胸痛**。因为心梗的发生常常在后半夜至凌晨，患者往往因不愿叫亲属而等天亮，坐失良机。二是一向没病、没有胸痛的人突发胸痛时，以为是胃疼，挺挺就过去了，这一挺把命挺没了。三是心梗发生在白天时，患者也去了医务室，基层医疗单位顾虑转诊有危险未将其转到有抢救条件的大医院，使宝贵的"时间窗"终于关闭。因此有胸痛上医院，不是上医务室，而是**尽快呼叫急救系统，要去有抢救条件的大医院。**

第四条防线　二级预防——防复发

- **五个方面持之以恒**
- **有效药物、有效剂量**

对于已经获救的心肌梗死或脑卒中的存活者，最重要的是二级预防——防复发。这是再发严重心血管事件的极高危人群。一级预防是没发病时去防病，那么二级预防就是已发病后防止"二进宫"，即防止第二次复发。已有充分的临床试验证据表明，二级预防的 A、B、C、D、E 防线具有重大意义。

A：① Aspirin(阿司匹林)；② ACE 抑制剂(血管紧张素转换酶抑制剂)

B：① β—blocker(β—受体阻断剂)；② Blood pressure control(控制血压)

C：① Cholesterol Lowing(降胆固醇)；② Cigarette quitting(戒烟)

D：① Diabetes control(控制糖尿病)；② Diet(合理饮食)

E：① Exercise(运动)；② Education(病人教育)

这个性命攸关的二级预防的五个方面，每项有两个内容，都非常重要，每一位病人都要逐条逐项严格去做，并持之以恒。这个二级预防提倡"双有效"，即有效药物，有效剂量。现在很大一部分患者在服用各种各样的"没有"副作用也作用不确切的无效药品或无效保健品，还有很大一部分人虽然服用的药品品种对了，但剂量太小或用的时间不对；再有相当一部分患者第一次发病后经过救治没事了，就好了伤疤忘了疼，也不去看病了，也不吃药了，这很危险；还有的嫌用药麻烦，吃吃停停，停停吃吃，不但效果不好，而且危险。如果家里有人需要二级预防，这五个方面就要天天去执行，孩子们孝敬需二级预防的双亲，就去监督他们五方面的预防措施是否到位，监督他们按时有效地服药，有效地锻炼，有效地控制危险因素。需要二级预防的患者也应遵循这五条，对自己的病情、病程进行自我管理，不妨做一个健康档案，每天记记健康日记，探寻自我健康的规律。已患冠心病、脑卒中或作过 PTCA 或搭桥的患者应定期到医院或社区复查随访，有事报病情，无事报平安，获取防病的指导。

第五条防线　防治心力衰竭

- 管到家里，管到院外
- 最小代价，最高质量

由于早期干预的成功，使越来越多的心梗、脑卒中的患者存活下来。前面说过，慢性心衰是从心梗逃出者10 年至 15 年后的一个常见归宿，因为慢性心衰预后差，花费巨大，已成为全球性最沉重的医疗负担。目前对慢性心衰有很多新的治疗，药品相对便宜但住院费高，因为慢性心衰病的病程相对较长而压床，所以医院不愿收，病人不愿住。我们提倡将病人管到院外，管在社区，尽快培养起一支具有中国特色的心衰治疗管理队伍。慢性心衰的用药需逐渐调整剂量，需相对固定的医生负责个体化的系统治疗过程。我们设想的模式是在大医院建立心衰门诊，为每一位病人建病历档案，与社区的电子病历形成联网，设家庭病床，对每位患者病情实施监控，其治疗费、住院费可控制在最低消耗水平。这个家庭病房的模式在许多发达国家做得很好，如丹麦早期医院很多，后来养老院多了起来，再后来医院和养老院都少了，患者特别是一些慢性的重病患者回归了社会，回归了家庭。这是一个系统工程。我们整合出首都心血管总体防治规划可以省很多钱，用最小的代价、最高的质量去挽救更多的生命。

♥ 有氧代谢运动改变你我

✚ "有氧"改造美国人的故事
✚ 预防比治疗更重要
✚ "有氧代谢"星火燎原

1985 年 1 月至 1987 年 1 月，我到美国纽约州立大学与芝加哥伊里诺大学进修两年。在回国前的半年，我到得克萨斯州去开一个国际心脏病的年会，为了省钱，通过一位朋友找住处，这个朋友认识肯尼思·库珀博士，他说库珀开的有氧代谢运动中心有住处，就这样认识了库珀，并且一下子就被他的有氧代谢吸引住了。

库珀本身就是一个故事。库珀原来是一名苦学八年获得医学博士学位后从事心脏内科专业的医生，但是因为工作后形成的不良生活方式导致肥胖、全身无力、睡眠不好而不能坚持紧张的工作。库珀对自己及周围人们的健康状况反思之后，做出了一个惊人的决定，他重新回到母校哈佛大学读了公共卫生学的硕士，将自己的人生定位从健康的"下游"挪到了"上游"。篮球、中长跑、水上运动，中学与大学时的肯尼思·库珀广泛涉猎体育活动。但在攻读博士学位的4年中，运动中止、饮食过量，体重从77公斤增长至92公斤，血压上升。毕业后繁忙的工作常使他感到精疲力竭。一次，他很有信心地踏上水橇，把时速加大，突然觉得恶心、心慌、天旋地转，似乎马上要昏过去了。事后，他决心从自己的事例中找出缺乏运动、精神紧张、不良饮食以及肥胖与健康的关系，并重新塑造"学生时代的库珀"。他通过跑步与合理饮食，体重从95公斤降到77公斤。之后，他研究出了著名的"12分钟体能测验"与"有氧运动得分制"，成为全世界推广有氧代谢运动第一人。60年代他和夫人靠办夫妻店起家，离乡背井来到得州，盘下场地，办起了全球第一个预防科学研究所，以有氧代谢为龙头，开发多种经营，有运动服，有跑鞋，有保健药品等。美国的总统卡特、布什、克林顿都到那里进行过有氧代谢的指导训练。库珀**"预防比治疗更重要"**的理论已经过40年实践的验证，他首推的有氧代谢运动使60年代曾猖獗美国并导致死亡率第一位的心血管疾病早在20年前就得到了一定程度的有效控制。20年间美国吸烟人数减少了一半，高血压人数降低了30%以上，坚持经常锻炼的人增加了两倍多，心肌梗死死亡率下降37%，脑卒中死亡率下降50%，人均寿命延长6年。

据报道，在1970年到1980年间美国人平均寿命增加 4 年，几乎是以往任何一个 10 年里寿命增多的 4 倍。预计近年，美国女性平均寿命为 90 岁，男性平均为 85 岁。有氧代谢运动功不可没。

库珀在全世界首次推出的有氧代谢理念是建立在抗氧化理论的基础之上的。这个理论假设胆固醇如果不氧化，就不会有斑块形成。抗氧化就是抗氧自由基，氧自由基这个概念在全世界得到广泛重视，但目前还没有取得医学的证实。已有的动物实验证实，肥胖的高血脂的小耗子经有氧代谢运动(每日跑步、游泳训练 1 小时)，血清总胆固醇与低密度脂蛋白明显下降。

认识库珀还有一个意外的收获，库珀送我一本他写的有氧代谢运动的书。这本书在全世界几十个国家畅销。中国是用第 25 种文字翻译此书的国家。回国后，我立即动手翻译，1988 年由中国广播电视出版社出版了这本书，编辑认为"有氧代谢"这名词在当时太生僻太不好懂了，在没经过我同意的情况下，自作主张改成了《健身秘诀》，真令我哭笑不得。不过，当时国内对有氧代谢的了解的确很少，这样做也不无道理。也就是这本《健身秘诀》获得了当年的优秀图书奖。

1988 年库珀在我的邀请下第一次访华。库珀非常高兴地要带领中国人跑步，因为这是库珀在世界各国推广有氧代谢运动的一个醒目标志，库珀的每一次出访，都以他雄壮健美的领跑激起强烈的"有氧代谢"冲击波。在新加坡，全市人民在市长率领下跟着库珀长跑；在巴西，库珀身后涌动着总统带队的长跑洪流；在东京，跟着长跑的也有几千人。而在中国，当时跟在库珀身后的仅有三个人，我、曹杰(北大卫生学硕士研究生)和杨宏健(长城饭店健身房教练)，这两个人是和我一起翻译库珀《有氧代谢》这本书的志同道合者。

正当我不遗余力地宣传有氧代谢的时候，我碰上了一个绝好的契机，北京市卫生局与《北京晚报》在1995年开办了"健康快车"专栏，我成为在"健康快车"专栏、健康大课堂和健康广场专家咨询时亮相最多的一名列车长。"健康快车"专栏使"有氧代谢"这一观念与实践成为改变中国人健康理念的星星之火，以燎原之势燃起了熊熊烈焰。

"有氧代谢"风采常在

- 赶不走、轰不完的累
- 40岁以上的男人体质最差
- 1小时有氧代谢抗衰2.5小时

时下人们嘴边挂的最多的是一个"累"字。累得不想说话，累得不想吃饭，累得见事就烦……"累"似乎在我们身边赶不走，轰不完。看看你的"体质"就能识破"累"的魔影。

体态变了：肌肉少了，骨骼轻了，脂肪多了，整天背着十几斤多余分量会不累？

肌力减退：出门打车、上楼乘电梯、健身也挑不费力的……肌力慢慢减少为零时，肯定躺着也"累"。

心肺功能削弱：乘"虚"而入的是：高血压、高血脂、高血糖……我国已在 9 岁儿童中出现血管硬化。

灵巧协调下降：在肌体的灵活性、协调性低下的人中，绝大多数在轻轻摔倒时会出现骨折，甚至一般小碰撞还会致命。

综合体质缺乏：工作能力低下甚至没有生活能力。

以国家体委成人体质监测规定指标为准做的小调查，结果如下：①闭目单脚直立：打太极拳人群最拿手，绝大部分是优秀，而在某机关的人群中优秀率不到 10%。②反应心肺功能的台阶试验和肺活量测量：中长跑人群心肺功能全部优良；而在某机关人群中优秀率"无"。③身高标准体重与体质好坏呈正比：体质合格率高的单位，身体形态合格率高，若相反都低。④ 40 岁以上男性人群体质总评最差。⑤骨质测定：长跑人群合格率接近 100%；太极拳人群 80% 至 90%；机关干部合格率 60% 左右；健美人群 100% 合格。

以女性为例，女性 16～18 岁已达到生理上的生成，机体从此走向退化衰老，以后每过一年，心脏泵血能力就降低 1%，一到中年，就开始有发胖迹象，29% 的血管变窄，心脏负担加重，30 岁后每隔 10 年，身体丧失 3%～5% 的肌纤维，60 岁后肌力丧失 10%～30%。脂肪明显增多，上肢到下肢的血液速度比 25 岁时减慢 30%～60%。70 岁后几乎每天都会感到无精打采，身体灵活度降低 20%～30%，界质减少 20%～30%。

75岁后每况愈下，体循环中含氧量减少29%之多，80岁后，坐在吱吱作响的摇椅上，却不能自己挪动一点，**快和人间说拜拜了。**什么是最有效的抗衰老抵抗呢？大量研究证明，1小时有氧代谢运动，能使衰老迟到2.5小时，坚持有氧代谢运动，能使迷人风采常在。

健康在于科学地运动

● 快乐与活力双赢

并非任何运动都有益于健康。有氧代谢运动才是增进健康的最佳方式。它是指增强人体吸入输送与使用的氧气为目的的耐久性运动。在有氧运动中，人体运动需要能量，而人体的能量来源于体内营养物质的化学反应分解释放，这些化学反应分解释放能量需要氧气，所需氧气又能通过外界及时吸入满足需要，需要的氧气与吸入氧气处于动态平衡，这时体内一系列的需要有氧气存在的化学反应称为有氧代谢。当我们锻炼身体时，所需能量的来源主要是通过有氧代谢获得的都是有氧运动。简单地说就是我们锻炼身体时，身体所需要的氧气，运动时都能及时满足需要的运动就是有氧运动。

因此，有氧代谢运动的特点是强度低、有节奏、不中断和持续时间较长。一般讲，其对技巧要求不高，因而方便易行，容易坚持。有氧代谢运动的常见种类包括步行、跑步、骑车、游泳、跳健身舞、做健身操、扭秧歌及一些中低运动强度但能持续时间较长的运动项目。

无论什么年龄和性别，这对促进身体健康、增强体质、治疗慢性疾病都具有重要作用。相对而言就有无氧运动，就是运动时，人体需要的氧气不能满足需要，在运动后得到补偿，一些短时间大强度的运动就是无氧运动。诸如：短跑以及短时间大强度的激烈运动和比赛。这只适合儿童、青少年和适于这些运动的健康的人。

体检在先

有氧代谢运动必须达到一定量，你能承受吗？实施计划前做一次全面体检，这对 40 岁以上的人尤为重要。不要漏查运动心电图，如果查出你心脏缺血就要在医生指导下运动。没有体检就参加有氧代谢运动，一定要从小运动量开始，循序渐进。运动中一旦出现身体不适，要及时找医生查明原因。

有氧代谢运动的"质"与"量"

有氧代谢运动的质量是关键。

质，就是在锻炼中心率要达到"有效心率范围"，并在这个区域保持 20 分钟以上。有效心率是指锻炼身体时，健身效果有效的心率值。一般健康人适宜的运动负荷以人的每分钟最大心率的百分数来表示。

一般健康人的最大心率用公式近似推导：

最大心率 = 220 – 年龄

如：40 岁的人其最大心率 = 220 – 40 = 180 次／分

最大心率的 60% = 180 × 60% = 108 次／分

运动心率在最大心率的 50% 以下时，健身效果不明显。所以有效健身的心率应当是达到最大心率的 50% 以上，但是最好不要超过 85% 左右。每个人要根据自己的年龄和身体情况选择适宜的运动量，达到有效心率。开始锻炼身体时，选择最大心率的百分数低一些，经过一段时间适应后，再逐渐提高最大心率的百分数，以不断提高健身效果。

量，就是每次至少 20 分钟耐力运动，每周 3 次；或每周练 4 次，每次 20 分钟，其收效很明显；或每星期 5 次，每次 20～30 分钟，进步最快。不必要天天练，它的成效不比练 5 次大多少，但受伤的可能性增加了。以"有氧代谢运动得分表"为标准，男子每周至少应达到 35 分，女子为 27 分。这是总分，最理想的是把它分成 3～5 次，运动要循序渐进，千万别搞突击。当然，体质弱或有高血压等病的人更应另当别论。

有氧代谢运动的益处

1. 有氧代谢运动增加血液总量。氧气在体内是随血液供应到各部位去的，血量提高也就相应增强了氧气的输送能力。

2. 增强肺功能。有氧代谢运动使锻炼者的呼吸加深加快，从而提高肺活量，提高吸入氧气的能力。

3. 改善心脏功能，防止心脏病发生。氧气吸入肺后，要靠心脏挤压才能由血液输送至全身。有氧代谢运动使心肌强壮，每次排出更多的血液，并且提高血液中对冠心病有预防作用的"好胆固醇"即高密度脂蛋白的比例。

4. 增加骨骼密度，防止骨质疏松。随着年龄增长，人体骨骼中的钙渐渐减少，因此老年人容易骨折，有氧代谢运动可有效防止钙的损失。

5. 减少体内脂肪，预防与肥胖有关的疾病。体力活动不足与饮食过量可导致脂肪与体重增加。肥胖增加冠心病、高血压和糖尿病的可能性。有氧代谢运动加上适当的饮食控制，可有效去除体内多余脂肪，减轻体重。不科学的减肥术使您丧失的是肌肉成分，使人疲乏无力。如您坚持每天两次快步行走(每分钟走 120 米)，每次 20 分钟，两周即可减半公斤体重，一年减 12 公斤纯脂肪。快步行走既不剧烈，也无难度，重要的是持之以恒。

6. 改善心理状态，增加应付生活中各种压力的能力。一个人在缺少运动时，常感到疲劳、情绪抑郁、记忆力减退，甚至丧失工作兴趣。有氧代谢运动可奇迹般的扭转这种状态，使人情绪饱满，精神较放松。

有氧代谢运动的过程

1. 准备活动。一是活动各关节与肌群，提高体温，增加弹性和活动范围，以适应将要进行的运动。二是逐渐提高心率，使心血管系统作好大强度运动的准备，以防发生意外和损伤。一般需准备 5～10 分钟，可以慢跑或原地做伸展柔韧性练习。

2. 有氧代谢运动。这是整个运动的核心，质与量都必须予以保证。所谓"质"就是锻炼心率要达到"有效心率范围"，并保持在这个区域中。所谓"量"就是每次进行至少20分钟耐力运动，每周3次以上。

3. 放松整理。经过比较剧烈的20～30分钟耐力锻炼之后，若突然停止运动或坐或躺都是十分有害的，因为肌肉突然停止运动会妨碍血液回流到心脏，从而造成大脑缺血，你会感到头晕、甚至失去知觉。正确的做法是放慢速度，继续运动3～5分钟，同时做些上肢活动，让心率慢慢降下来。

4. 肌力练习。主要是上肢与腰腹部，可以做徒手俯卧撑、引体向上、仰卧起坐、俯卧挺身，也可以进行举重练习。然后再做几分钟放松性韧性练习，整个锻炼就可以结束了。

整个运动大约需40～50分钟。

根据年龄、体质情况以及个人的爱好，选择不同的活动内容，并定期做体能测验，不仅仅要有一个良好的运动开端，更重要的是持之以恒，您肯定会从有氧代谢运动中获得身心健康的益处。

不能改善心血管系统功能的运动方式

1. 静态运动。运动时在不改变人体姿态、不移动关节角度的情况下收缩用力，如推一面墙，向上拉您坐着的椅子或保持膝关节 90°的半蹲。这些运动可增强肌肉力量，但丝毫不提高心血管系统功能，并且四肢静态用力可使血压短暂升高。

2. 等张肌肉运动。做各种举重时，肌肉在克服阻力的同时改变关节角度，可有效增强纤维体积和力量，但不提高人的耐力和心肺功能。

3. 无氧代谢运动。指肌肉在无持续的氧补给的情况下工作，典型的例子如短跑及各种高强度、短时间和爆发用力的项目如跳高、跳远、投掷等，都不能有效地改善人体的心血管系统功能。

什么是有氧代谢运动

有氧代谢运动是指那些以增强人体吸入、输送氧气，以及与使用氧气能力为目的的耐久性运动。在整个运动过程中，人体吸入的氧气大体与需求相等，即达到平衡。因此它的特点是强度低，有节奏，不中断，持续时间较长。一般来说，有氧代谢运动对技巧的要求不高，例如步行、跑步、游泳、骑自行车、跳健身舞、滑雪等等。这些活动能有效地改善心、肺与心血管的机能，而这些器官的状况对人的健康是至关重要的。

有氧代谢运动是怎样增强人的心血管系统的呢？让我们举这样一个例子：你现在正坐着读书，体内氧气的供应与消耗是平衡的，心率假设每分钟为 70 次。同时一个长跑运动员也坐着看书，他的心率是每分钟 50

次。这时俩人看上去没有两样，但安静时心率的差别证明他比你健康。因为他的心脏负担比你轻，每分钟少跳20次。这就是有氧代谢运动的结果。

生命在于运动，健康在于运动，健康来源于科学的运动。无论什么运动方式都有利于健康吗?不是! 运动量越大，越剧烈，出汗越多，运动后越疲劳，就越有益于健康吗?不是的。百米赛跑、举重等时间短、强度大，需要爆发力的竞争性体育比赛项目为"无氧代谢运动"，即机体主要以无氧代谢方式提供能量的运动。在运动当中，机体供应的氧气不能满足机体对氧的需求。这些是对人体力量与速度极限的不断挑战与突破，但不利于人体的健康。高血压病人从事这些活动，无疑会导致血压急剧增高，甚至发生脑出血的严重后果。而"有氧代谢运动"是指机体主要以有氧代谢方式提供能量的运动。即运动中需要增加氧的供给，而机体又可满足这一需求，因而实现了氧气的供与需的平衡。这类运动方式包括跑步、步行、骑自行车、游泳、扭秧歌、跳健身舞、滑雪等运动时间较长的耐力性运动，它不仅有利于躯体的健康，也有益于心理健康的发展，因而是科学地通向全面身心健康之路。

美国人类健康统计中心公布的数字表明，1968 年仅24% 的美国成年人参加跑步运动，1984 年增加到59%。同期美国心肌梗死死亡率下降 37%，脑卒中死亡率下降 50%，高血压死亡率下降 60%。人均寿命由 70岁增至 75 岁。这一成就是美国历史上从未有过的。

有氧代谢运动的核心概念是平衡。平衡是健康之本。这包括机体动与静的平衡、心理上紧张与松弛的平衡，以及新陈代谢的平衡。

♥ 有氧代谢塑造快乐人生

✚ 热情与健康同在
✚ 完善性格，生活美满

坚持有氧代谢运动有利于血压下降。研究表明，充分合理的有氧代谢运动对于轻度高血压病人的降压效果良好，甚至优于某些降压药物。但停止运动，降压作用可能消失。有氧代谢运动和控制饮食有益于减肥，也对降压有利。

中年男性中与运动相关的猝死，80%是由于心脏缺血。这当中有血压记录者，三分之一有血压升高。这揭示高血压病人在运动中猝死的危险可能增加。

怎样充分发挥运动对高血压控制的有益作用，又避免运动中的风险？关键在于了解高血压病人运动的科学合理方案。

科学合理的做法是从小运动量开始，逐步加大运动量。一般来说，轻度运动是指散步、慢跑、慢骑车、扭秧歌等；重度运动指快跑、快骑车、滑雪、游泳、球类比赛等；强度和时间介于两者之间的为中度运动。

大多数高血压病人为中老年人，平时缺乏规律性的体力活动，要坚持有氧代谢运动，需要改变生活方式。因此，医生应经常鼓励病人运动，并且对他们的运动情况加以监测随访。病人在运动中的变化也应及时与医生联系。病人一起组织集体锻炼有利于持之以恒。如不坚持运动，病人不会得益。

　　为了安全从事有氧代谢运动，开始运动前，高血压病人应做静息时的常规心电图；平时静坐过多的职业，应做运动试验，即在踏车或在活动平板上行走时进行心电图的监测与记录。对于有其他冠心病危险因素，诸如吸烟、肥胖或高血脂的病人，运动试验必不可少；超声心动图有助于发现左心室肥厚，有左心室肥厚的病人，运动量要小。心肌缺血的病人运动量也要小些。

　　参加运动的高血压病人，使用抗高血压药物也应注意，短期使用利尿剂会降低病人的运动能力。开博通、伊那普利等药物对运动能力无明显影响。

　　大家都知道，健康的工人看上去既热情又有健康的感觉，而健康状况不佳者则相反。健康的工人因具有旺盛的精力而充满活力，对工作充满兴趣，不但能够抛却生活中的烦恼，而且在行动和性格上也趋于外向。与很少参加运动者相比，其患病次数明显减少。

　　此外，工作认真还意味着工伤事故减少。应当看到，运动可以提高生产能力。参加了有氧代谢运动的工人，不但在全天工作中很少休息，而且工作效率高，并富有成效。

美国的两项研究成果可以说明这个问题。

美国航天局的雇员参加了一周三次的运动后，工作态度和操作技能提高了 50% 以上。几乎 90% 的雇员感到精力增强，60% 的人有减肥效果。

俄罗斯的工人参加运动锻炼后，生产能力也有显著提高，患病率和工伤事故明显下降。并减少患病次数和请假率。

健康运动还可以减少由于婚姻问题所引起的请假和旷工。有资料表明，健康的夫妻在性生活上也趋于和谐。因为运动有助于减缓紧张和焦虑，因此能够减缓导致婚姻破裂的压力和挫折。

为了改善雇员的外表，美国一些公司已开始对那些减肥的雇员给予奖励，其方法是体重每降低 1 磅，公司给 5 美元的奖励。而体重每增加 1 磅，公司从其每周工资中扣除 10 美元。这无疑是一个极为有效的鼓励手段，而且收效显著。

有位行政人员在描述他在跑步中的一些经历时说："现在，每天坚持跑步数公里的习惯，使我比以往任何时候都更加了解我自己。每次跑步结束时就会感到自己如同一个加满油的机器，我可以在情绪沮丧的状态下开始跑步，心里想着许多关心和焦虑的事情，但在跑步结束后，就会感到自己已成为一个健全的整体，思维和身体也融为一体。"

有氧代谢的内啡肽效应

许多与跑步和有氧代谢运动有关的健康及舒适感，都与体内分泌的强大激素——内啡肽有关。这种激素常在耐力性活动中分泌产生，是一种吗啡类物质。在多数情况下（包括剧烈运动）它是由脑垂体腺分泌释放的。

内啡肽具有镇痛作用，因而与吗啡类似。从剂量上相比，内啡肽的作用要比吗啡约强 200 倍。

1982 年，在波士顿举行的马拉松比赛中，一位来自盐湖城的长跑运动员，在跑了 11 公里时，其股骨发生了应力性骨折。尽管如此，他却在瘫倒前跑完了 42 公里的比赛路程。此后在数小时的手术中，外科医生用了较长的钢板才将其折骨固定。据医生们推测，这位 38 岁男运动员的大腿肌肉非常发达，在长跑中肌肉实际上起到了固定夹板的作用。很明显，内啡肽作为一个因素使他能够忍受住疼痛，坚持跑完全程结束了比赛。

据意大利学者 1980 年的报道，剧烈运动后体内的内啡肽水平显著升高，甚至高达 5 倍之多。八个平均年龄 21 岁的世界级运动员进行了极量运动平板试验，运动前的内啡肽水平为 320，12 分钟剧烈运动后，内啡肽水平立即上升到 1 620。停止运动 15 分钟时仍为 1 080。30 分钟时则降至 420，但此值仍高于安静时的水平。

妊娠时内啡肽水平趋于升高，分娩时更高。这种现象可以解释为什么妊娠中孕妇能够忍受住多种痛苦与不适，以及在分娩时对疼痛有极强的耐受能力。如果一个妇女经过了有氧代谢运动，其体内的内啡肽水平就会增高，日后分娩时，对疼痛有比其他妇女更强的耐受能力。毫无疑问，内啡肽也与某些精神疾病的缓解有直接关系。多年来，世界上的精神病学专家，一直将运动作为治疗精神抑郁患者的有效方法。在部分精神抑郁的患者体内，内啡肽的水平明显降低，运动则可升高他们体内的内啡肽水平。

一位患者在过去 5～7 年的坎坷生活中，曾经历了心肌梗死、离婚、抑郁和儿子因患精神病入院治疗等坎坷，由于参加了运动锻炼，而且通过实践认识到，"运动使我能够得以生存。"他至今仍然健康地生活着。

曾有一位具有典型内向型性格的女性，总是躲避参加社交及聚会等活动，从不愿意让人看到她穿短裤参加跑步。自从参加了有氧代谢运动以后，她的态度发生了改变，开始定期参加跑步，经平板运动紧张度测试成绩满意，性格也得到了完全改变，变成了一位典型的外向型女性。这位女性的性格变化，主要是自信心改善的结果。

有氧代谢帮你整理心情

无论你属于竞争型的 A 型性格，还是防守型的 B 型性格，内向型的 C 型性格，或介于它们之间，紧张几乎每天都在伴随着你。每个人都经历过紧张，每个人都有自己消除紧张的方法。当你处于紧张状态的时候，也许会寻找到放松自己的机会。譬如睡觉，休息，看电视，逛商店，听音乐，去 OK 厅，喝酒，发脾气，找朋友等等，形式多种多样，也不乏奏效之功。但是，上述方法几乎都是通过环境的改变和注意力的转移，暂时地帮助你解除了紧张和烦恼，身心暂时得到了放松和休息。那么，怎样才能从根本上，而不是形式上使机体对紧张产生生理保护性的反应呢？

从生理健康意义上讲，有氧代谢运动是最理想的调节紧张、完善性格的方式。因为，它不仅仅对你的呼吸系统、血液循环系统、骨骼肌肉、消化系统、内分泌系统以及神经调节系统有好处，同时也锻炼了你的意志和耐力。美国曾就有氧代谢运动调节紧张的作用，做了大量的妇女调查与研究工作，调查表明，一般不常运动的妇女的静态心率为 75～80 次／分，但是经过一段时间的小量有氧代谢运动后，她的静态心率明显地下降至 60～65 次／分。这有什么好处呢？这种受过"锻炼"的心脏效率大大地提高了，心脏每次搏动收缩泵出的血液多了，血流速度减慢了，从而使导致紧张的肾上腺素分泌减少。这样，即使您处于紧张中，心率的减慢所带来的一系列反应也能使你沉着冷静，能很好地控制自己的情绪。

所以，持之以恒的有氧代谢运动，不仅赐给您一个健美的体魄，而且从根本上达到控制紧张的目的，也潜移默化地改变着人的性格，使具有 A 型或 B 型性格的人向 C 型性格发展，而那些 C 型性格的人，在有氧代谢运动中更加趋于成熟与完善。

♥ 谨防过度运动

✚ 安全有效——有氧代谢的原则
✚ 慢性病患者在医生指导下运动锻炼
✚ 有冠心病危险因素的人体检在先
✚ 有氧代谢运动重在坚持，长久获益

　　体力活动不仅带来益处也具有风险，最常见的风险多与骨骼肌损伤有关。损伤的危险性随着运动强度、频度、时间的增加而加大，不同的运动形式引起损伤的风险也不一样。较严重但罕见的运动并发症是心肌梗死或心脏性猝死。尽管在剧烈的体力活动中心脏性猝死的危险轻度升高，但健康收益远远大于危险，您若根据自己的年龄、身体状况来运动，就能把风险降为零。

　　许多事实表明，剧烈的体力或情绪变化，可促使心脏快速搏动，并可能造成致命的心脏性猝死。譬如两年前，当库珀博士乘飞机飞往西海岸时，他同一个偶然参加跑步并熟悉有氧代谢运动的空中小姐交谈了起来。她说："我们的确遇到过你在书中所谈及的事情。

　　"就在几天前，我们的飞机在起飞前接到通知说，有一位迟到的旅客要上飞机。于是，我走到飞机尾部，降下尾部梯子，帮助这位 40 岁的男子上机。当时我注意到他呼吸困难，大汗淋漓，面色苍白如纸。他一手提一个大箱子，另一只手拿着一个笨重的手提包。

"帮助他坐到飞机尾部吸烟区的座位上后，我就重新回到了自己的座位。刚刚坐下就看到警报灯亮了起来，我告诉机长可能遇到了麻烦，然后冲到飞机尾部。此时，那位旅客已昏倒在座位上。

"当驾驶员将飞机滑回终点的时候，我尝试用口对口人工呼吸和胸外心脏按摩的方法进行抢救，但是一切毫无结果。"

库珀先生特别痛心地讲过一个故事，他的一位"有氧代谢"的忠实崇拜者在一天晨练长跑时，倒地猝死。后来查明他的运动量超过了极限，他有冠心病的基因，几代人中都有死于冠心病的先例，他就是一名不稳定斑块破裂形成血栓的受害者，所以库珀特别强调先体检再运动，特别强调有氧代谢是一种循序渐进的持续而温和的运动。

过度的运动使身体产生过多的氧自由基，从而有碍于心血管健康。一位中年妇女 20 多年来一直坚持每天跑步 5 000 米，近半年来却跑不了 5 000 米，且稍微活动多一点儿就心慌气短容易感冒。经检查确定，除了血压高、心率快以外，尚无其他异常。医生认为，5 000 米的运动量超过了医生建议的有氧代谢运动量的范围。

一组 43 项研究表明，那些不运动或静坐的人与参加体力活动的人相比，其患癌症和心血管疾病的危险因素大两倍。每天仅积累中等强度运动 30 分钟，对我们每个人来说似乎并不难做到，这一点您也会在我们向您推荐的运动项目中找到感觉。

在儿童和年轻人当中，与运动相关的死亡并不常见，但如果有先天性心脏缺陷(如肥厚性心肌病、严重的主动脉瓣狭窄、心脏传导异常)或获得性心肌炎的青少年，则不能参加剧烈的或竞争性的体育活动，必须在医生的指导下进行适度的运动。体力活动的危险与健康受益相比微不足道，大多数健康成年人无须在开始一项中等强度运动之前进行医疗咨询或检查，除非你想从事剧烈运动，或已知有心血管疾病，或伴有多项心血管危险因素，或是 40 岁以上的男性、50 岁以上的妇女。

♥ 有氧代谢快走为先

✚ 快走最安全
✚ 快步走的方案

快走是最安全的有氧代谢运动项目之一，更是老年人的明智选择。当然，慢跑也是很好的运动项目，只是需要提醒大家，它与快走相比可能会造成关节、韧带的损伤。

为什么呢?原因之一是快走时双脚与地面基本上是水平接触，无论是双脚对地面的作用力还是地面的反作用力都相对较小，而慢跑时，由于速度相对较快，双脚与地面的碰撞力较大，因而地面的反弹力也较大，较大的反作用力长时间作用于踝关节，会带来损伤。

快步行走也称"耐力步行"、"速度行走"或"竞争性行走"，可使你获得理想的耐力，而不刺激产生过多的有害的自由基，也没有损伤骨骼和肌肉的危险。有一项研究证实了这一点，该研究对 102 名绝经前妇女监测 6 个月，她们被分为一个对照组(不改变她们日常的生活习惯)和另外三个步行组。鼓励步行者每周走 5次，每次均走 4 800 米，距离相同，但每一组所设定的速度不同。第一组速度为每 1 600 米用 20 分钟，共走 60分钟；第二组为每 1 600 米用 15 分钟，共走 45 分钟；第三组为每 1 600 米用 12 分钟，共走 36 分钟。这样运动 6个月之后，步行者的健康有所提高：速度 1 600 米/20 分钟的，耐力提高 4%；速度 1 600 米/15 分钟的，耐力提高 9%；速度 1 600 米/12 分钟的，耐力提高了16%。所以速度最快(12 分钟走 1 600 米)的一组人收到了最充分的健康效果，相当于用 9 分钟跑步 1 600 米的同样效果。三组人中没有发现任何肌肉、骨骼或韧带出现问题，但是如果她们进行慢跑，这一年龄组的妇女至少会有三分之一的人出现不同程度的骨、关节或韧带损伤。

快步行走不但是锻炼耐力的有氧代谢运动，而且比跑步更安全，健身效果优于跑步，而跑步作为有氧代谢运动之王的地位正在动摇。不信，您试试。

把脉求安全

走慢了可不管用，运动中必须达到有效心率范围。将右手中间 3 个手指的指肚轻轻地放在左手的手腕处，就可数出 1 分钟内心脏跳动的次数（心率）。一般数 10 秒钟的心跳数，再将此数乘上 6 即可。

不同年龄段的人，最大心率不同。20 岁的人大约是每分钟 200 次，30 岁的人 190 次，40 岁的人 180 次，50 岁的人 170 次，60 岁的人是 160 次。为了健康，人们应保持一定运动量，坚持长期锻炼，锻炼时心率应是最大心率跳数的 60%～70%。具体到快走这项运动，20 岁的人走时脉搏应在每分钟 120～140 之间，30 岁的人是 115～130，40 岁的人是 110～125，50 岁的人是 100～120，60 岁的人是 95～110。

不同年龄段的人关于时间的安排是一致的。先轻松地走 5～15 分钟，再以中等强度走 15～30 分钟，最后激烈地走 30 分钟以上。

通过脉搏可知活动强度，这给我们带来一定的方便，使走成为一项相当安全的运动。走时保持脉搏最大值的 60%～70%，可杜绝事故发生。

当脉搏在最大值的 60%～70% 时，走的速度大约比经济速度快二至三成。若心跳达最大值的 80%，心脏就要承受更多负担，为了防止事故，要慎重为之。

有七成老年人走陡坡或登山时，脉搏很容易达到最大值，因此，登山队或运动队中对老年人要特殊照顾。

带瓶水上路

大约在 10 年前，人们还认为运动时不应饮水，即使长时间大运动量的运动也不提倡饮水。持这种观点的人认为，饮水会加重疲劳，使胃肠不适。

现在的看法完全变了，主张想喝就喝。理由是，想喝水就表明人体需要水，当身体水分不足时，坚持运动易感疲劳。此外，水分不足，血液浓度升高，有时甚至会导致脑血管堵塞的严重后果。但是，喝水还是应有节制。一般是，在走的中间想喝点水，就喝。刚走完时，可补充由于出汗失去的一部分水分，另一部分应在一两个小时后再补充。不要一下子饮大量的水，否则易感疲劳，且增加胃的负担。须牢记，人若失去相当于体重10% 的水分，就有生命危险。实际上，若失去 5% 的水分，人体就面临很大危险。

♥ 爬山——有氧代谢特别礼物

爬山爬出内啡肽

跑步、行走、登山，总有说不出的舒适相伴，这与体内分泌强大激素——内啡肽有关。内啡肽常在耐力活动中分泌产生，具有镇痛作用。有时一个足球运动员已在上半场比赛中受伤，却还在下半场继续奔跑、拼抢而毫无感觉，直到夜晚才发现自己已经骨折，这就是内啡肽的作用。所以，有氧代谢运动能营造出舒适和健康的感觉，让你轻松而精力充沛地工作、学习。

运动为智慧添翅膀

人的智力活动主要是靠大脑的运动，而大脑的活动需要占人体需要四分之一的供血量，占人体需要五分之一的耗氧量。运动使经过脑的血量增加，不仅延缓了脑细胞的衰老，而且可以提高神经的反应速度。科学证明，体育运动能促进大脑的发育，体育锻炼时能使大脑释放出一种特殊的化学物质，使人产生愉快的感觉，对发展智力、提高记忆力有着良好的作用。

爬山时适当出汗对人体有好处。大肌肉群参与运动，促进血液循环和能量代谢，可将体内、体表的一些污物排出，给身体做一次"大扫除"；运动时肌体温度可达 37℃～39℃左右，体温升高，能将体内的一些细菌杀死；运动使控制汗腺的神经系统得到锻炼，能更好地控制人体温度；全身血液循环加快，包括皮肤内小动脉、小静脉、动静脉吻合支和毛细血管均尽量舒张、收缩，使得皮肤有更多的营养供应，相当于给皮肤做一次按摩。

"心血管体操"——与山共舞

在北京，每天爬香山的人都有万八千个。老百姓说，爬山上瘾，越爬血压越稳。有的人把药罐子彻底扔了，看病的把钱省了，常爬山的人变得越来越年轻了，心情总是那么好。

实际上，人在爬山时每一步都要付出比平时要大许多倍的体力。爬山者有一个共同的感觉：心跳加速、呼吸频率加快，初爬者还有很强的肌肉疲劳感。这种由肌肉耗能形成的人体心血管系统运动，被爬山者称为"心血管体操"。

爬山形成了独特的心血管运动的特点：首先，双腿交替攀登，使双腿肌肉收缩，肌肉间隙中的压力升高，静脉血管受到挤压，使回心血流加速。而肌肉松弛时，肌肉间隙中压力降低能从毛细血管和动脉端吸引血流，再向心房方向推送。由此可见，骨骼肌收缩与放松的节律运动促进了静脉血的回流，这对心脏起到辅助泵的作用。爬山中的双腿运动能克服重力影响，有效降低下肢的静脉压，减少下肢血液淤滞。爬山的运动节律平稳，血流量对血管壁的压力模式较固定，这种平稳和固定作用在肌肉压力的作用下对血管壁作"按摩"，对恢复血管的弹性有着积极的作用。从对心脏的影响上看，爬山姿势正确了，对心脏的负担反而不大。不过心脏有疾患者还是要遵医嘱，量力而爬山。

送你护心的"安全阀"

爬山是一种艺术。人们爬山，多以单一的方式向山上行进，有人超体力向山上行进，造成心动过速，有人长期爬山，却感觉体能没有进展。

针对这两个问题，建议大家在爬山时，要密切注意每分钟的脉搏次数。自己摸着手腕内数脉搏 15 秒，再乘以 4 便可知道。无论多大年龄的人只要每分钟脉搏次数在(220 − 年龄)×60% ~ 85% 范围之内，那么他的爬山运动就是有效的、安全的。如果超过 85% 最大心率，则要适当地减慢爬山的速度，做深呼吸，放松、整理，待心率减至有效心率范围内，再继续保持。

♥ 争取一切运动的机会

尽管人人皆知生命在于运动，但又都感到坚持运动很难。不能坚持运动的主要理由或借口是忙。

要想坚持有氧代谢运动，应注意把运动自然融合在日常的生活日程之中，成为不可或缺的部分。

应注意争取一切运动的机会。很实际的一项措施是，不坐电梯爬楼梯。路途不远时，多走路少坐车。会间、课间、户外，散步或做课间操。如喜爱游泳，外出开会出差，记住带上游泳衣裤。

主讲　向红丁

男，土家族，1944年生。北京协和医院主任医师、教授、博士生导师。现任卫生部老年医学领导小组专家委员会委员兼秘书，卫生部糖尿病防治专家咨询委员会秘书，中华医学会糖尿病学分会常委兼秘书，中华预防医学会慢性病防治与控制分会常委，北京医学会糖尿病专业委员会主任委员，北京糖尿病防治协会常务副理事长，《中国糖尿病杂志》副总编辑。

课题　远离肥胖和糖尿病

 肥胖是祸不是福

➕ 肥胖儿童总智商低于普通儿童
➕ 腰带越长，寿命越短
➕ 我国肥胖人口已突破7 000万

　　我国传统习惯是以肥为美的，胖嘟嘟的男孩女孩被称为"大阿福"，体重增加叫做"发福"，"老寿星"也都被描绘成鹤发童颜、心宽体胖、笑呵呵的样子。无锡特产泥塑"阿福"常被人当作礼物赠送，过年的年画上一对"大阿福"给春节平添了喜庆的味道。发福变胖似乎成了健康长寿的代名词。殊不知，肥胖像幽灵一样在21世纪流行，给人们带来的不是福而是祸。为什么中国人以往会以胖为福呢？究其原因，可能是过去旧中国长期贫困，人民衣不蔽体，食不果腹，面有菜色，肥胖无门，整个一个东亚病夫。在那个年代，人们盼望、期待着细皮嫩肉，体态丰腴，他们认为胖标志着富足，标志着健康，他们以胖为美。但现在时代不同了，解放以后，特别是改革开放以来，我国人民的生活水平大大提高，绝大多数人已不愁温饱，不少人已经十分富裕。结果，很多人的体重像吹气球一样迅速膨胀，肥胖已经悄悄来到我们身边。目前我国肥胖人口已突破7 000万，肥胖检出率已经超过10%，城市成人体重超标者已达40%，城市中小学生肥胖儿的比例也已超过20%，接近甚至超过某些发达国家的水平。

从现代医学的角度来说，肥胖并不是福，可能是祸。为什么说肥胖是祸？是不是有点儿耸人听闻？绝不是。肥胖至少有以下几个"祸点"，第一，造成体态笨重，活动不便，心理障碍；第二，衣食住行花费增加；第三，带来种种致命性的疾病，甚至造成早亡。

显而易见，肥胖者身体笨重，活动不便，越胖越懒，越懒越胖，造成恶性循环。有一位胖女士说："我参加工作时，担心因为肥胖而面试失败；当新娘时，没一件婚纱的拉锁拉得上；每到换季，都愁没有合身的衣服可换；连弯腰系鞋带都困难；胖得走路都嫌累，只想躺着睡大觉"，就是活生生的例子。肥胖不只带来生理上的问题，而且造成心理上的障碍，特别是对少年儿童。1989年，国内有人对南京市18所小学中部分肥胖学生的学习成绩和智力水平进行了调查。他们用韦斯乐儿童智力量表测定了儿童的总智商（包括语言智商和操作智商之和），结果发现肥胖儿童的总智商低于普通儿童！造成肥胖儿童总智商低的主要原因是肥胖儿的操作智商低于普通儿童，而操作智商的高低反映了儿童视觉、知觉、接受能力以及掌握要点能力的优劣。肥胖可能影响到儿童上述方面的能力，以至于在认识事物的能力、辨别能力以及动手能力等方面均低于普通儿童。该调查还发现，肥胖儿不仅操作智商低，而且学习成绩也相对较差，8门功课中有6门课程低于正常儿童。肥胖儿童智力偏低的原因尚不清楚，在某些肥胖儿中，可能由于肥胖导致呼吸困难、血液黏稠度增高以及红细胞携氧能力下降，脑细胞可以出现不同程度的缺氧，造成患儿嗜睡、记忆力减退、对外界刺激反应迟钝，进而影响智力发育。另外一个很重要的问题是心理因素，肥胖儿的行动相对笨拙，容易产生自卑、抑郁心理，他们在集体活动或游戏中往往处于不利地位，甚至采取退缩态度，结果肥胖儿得到的行为锻炼就相对较少，也使得智力发育不如普通儿童充分。

肥胖使衣食住行花费增多，对此可能不会有什么争议。胖人着衣穿鞋肥大，用料多；食欲旺盛，能吃能喝；住的地方要大，否则就像大象进了瓷器店；乘车占地儿都大，用汽油都多。所以胖人多耗费资源就多。

但是，肥胖最大的危害还不在于此，最要命的是肥胖带来很多疾病，威胁健康，甚至造成早亡。据统计，肥胖者并发脑血栓和心力衰竭的比正常体重者多 1 倍；冠心病多 2～5 倍；高血压多 2～6 倍；糖尿病多 4 倍；胆石症多 4～6 倍。可见肥胖可以导致一系列严重的并发症，比如高血压、糖尿病、血脂异常症、冠心病、恶性肿瘤（如乳腺癌、卵巢癌、大肠癌和前列腺癌）等等，这些疾病都是人类健康的主要杀手。

肥胖会引起病死率提高。美国统计证实，如果标准死亡率为 100%，超重 25% 者死亡率 128%，超重 35%～40% 者死亡率为 151%。肥胖已成为现代社会的文明病，与艾滋病、吸毒、酗酒并列为世界性四大医学社会问题。医学界已把肥胖所经常伴有的高血压、血脂异常症、糖尿病、冠心病、脑卒中称为"死亡五重奏"，这可怕的五重奏正是 21 世纪威胁人类健康与生命安全的头号杀手。肥胖绝对是会引起病死率提高的，而且高得吓人。在美国，所有可以预防的致死原因中，肥胖仅次于吸烟，占第二位，每年导致 30 万人死亡。结果，西方不少国家民众在买保险时还得量量腰带，肚子越大，腰带越长，所交的保险费越高，因为人家认为肥胖者得病和早亡的机会大。

到底多重才算胖

- 小时候胖——难减
- 青春期胖——不好减
- 更年期胖——好减
- 中国成人体质指数 20～24

肥胖既然这么不好，那么到底什么是肥胖？肥胖就是体内脂肪太多，特别是一种叫做甘油三酯的中性脂肪太多，造成体重过大这么一种情况。脂肪的体积在于脂肪细胞的个数和每个脂肪细胞的大小，如果脂肪细胞个数多，每个细胞内的脂肪量又大，使其体积变大，那么人就发胖了。人的一生有三个阶段特别容易变胖，一不留神就变成个"胖阿福"。第一个阶段是**幼儿期**，这个时期主要长的是脂肪细胞个数，一旦长成，这个数量就将终身不变。所以年轻的父母们可千万别把孩子揣得太胖，否则他(或她)将终身肥胖，而且难以减肥。**青春期**是第二个容易长胖的阶段，这个阶段脂肪细胞是既长个数，又长体积，所以减肥的难度介于幼儿和中年人之间。第三个容易长膘儿的阶段是中年期，尤其是**更年期**，但此时长的主要是脂肪细胞的体积，个数倒不怎么变化，相对来说减肥比较容易。但从另一个角度来说，这个年龄的人日子多比较富足，而且活动量小，热量消耗少，所以如不痛下决心，胖起来就难再瘦下去。

那么应该怎样来衡量一个人是不是肥胖呢？正常人体内脂肪的含量因年龄和性别的不同而不同，在新生儿，体脂约占体重的 10%；在青少年男性，体脂也约为体重的 10%，而青少年女性的体脂则占体重的 15% 左右；成年男性的体脂总量约为体重的 15%，而女性则为体重的 22% 左右。总之，随着年龄的增长，体脂含量逐渐增加，但不管在什么年龄，女性的体脂含量均高于男性。如果男性的体脂超过体重的 25%，女性的体脂超过体重的 30%，那就应该算是肥胖了。

体脂测定法虽然能比较真实、准确地反映人体的肥胖程度，但其测定方法比较复杂。目前常用的肥胖衡量的指标是体重，一个人只要没有水肿，他或她的体重就能反映其肥胖程度。目前衡量肥胖的具体方法如下：①标准体重公式：**标准体重（千克）= 身高（厘米）−105**，上下浮动 10% 为理想体重范围。也有人采用一个经过改良的公式：**标准体重（千克）=[身高（厘米）−100]×0.9**。第二个公式比第一个公式对中国人更为合适。②体质指数：体质指数的英文代号为 BMI，其计算公式如下：**体质指数（BMI）= 体重（千克）/**

身高(米)^2。标准体重公式使用起来虽然很方便，但它们只考虑人的长度，把人看成一个长条，而实际上人是立体的，而体质指数就较好地弥补了这个不足。所以，体质指数成为目前最为常用的衡量肥胖的指标。根据中国自己的资料，中国成人体质指数在 20~24 较为适宜，超过 24 算超重，超过 28 算肥胖。顺便说一下，有些情况不宜使用体质指数来衡量肥胖与否，如生长期儿童、肌肉发达者、孕妇和不易准确测量身高的老年人等等。③儿童标准体重公式：儿童的标准体重可根据下述公式计算：1~6 个月婴儿：标准体重（克）＝出生时体重（克）＋月龄×700（克）。7~12 个月婴儿：标准体重（克）＝6 000克＋月龄×250（克）。1~12 岁儿童：标准体重（千克）＝实足年龄×2＋8。④标准体重表：比较简单实用，可根据受试者的性别、年龄和身高，从预先制定好的表格中查出相应的标准体重和理想体重范围，使用起来比较方便。有些表还将受试者按体格分为大、中、小三种类型，分别列出不同的标准体重或理想体重范围，这样就更能有效地排除骨骼和肌肉对体重的影响。

可见肥胖是有标准的，是客观存在的，而不能凭主观想像。有些"猛男"已经很胖，但自以为胖点儿没啥，腆着"将军肚"才神气。也有些"靓女"腰围不足 2 尺还嫌胖，天天寻找减肥的灵丹妙药，甚至几个月以至几年都不敢吃粮食。这些情况都是误入歧途或者是走火入魔，是不可取的。

"苹果"和"梨"都不好

- "中段"胖更危险
- 易招上冠心病、糖尿病、脂肪肝
- "腰臀比"算出苹果形肥胖

　　苹果和梨都是美味水果。但是如果肥胖，不管是苹果形肥胖，还是梨形肥胖，都不如不胖为好。所谓"苹果"和"梨"是指肥胖的形状。按照脂肪在身体不同部位的分布，肥胖可以分为苹果形和梨形肥胖两种。苹果形肥胖者状似苹果，细胳膊细腿大肚子，又称腹部型肥胖、向心型肥胖、男性型肥胖、内脏型肥胖，这种人脂肪主要沉积在腹部的皮下以及腹腔内。梨形肥胖者的脂肪主要沉积在臀部以及大腿部，上半身不胖下半身胖。由于苹果形肥胖患者的脂肪包围在心脏、肝脏、胰脏等重要器官周围，所以患冠心病、脂肪肝和糖尿病的危险性要比梨形肥胖大得多。比如有人发现肥胖者患糖尿病的危险性是普通人的 3.7 倍，而苹果形肥胖者患糖尿病的机会则高达不胖者的 10.3 倍！当然，与非肥胖者相比，梨形肥胖仍然存在着相当严重的危害，仅仅是比苹果形肥胖略小而已。梨形肥胖者肌肉中的脂肪也比不胖者多得多，肌肉中脂肪越多，胰岛素抵抗就越重。所以可以说"梨"比"苹果"好，不胖又比"梨"好。

　　那么怎么来决定你是正常，是"梨"还是"苹果"呢？现在常用的方法包括测量腰围和测量腰围与臀围的比值，即腰臀比，可以和体质指数联合使用。腰围是反映脂肪总量和脂肪分布的综合指标，根据腰围检测肥胖症，很少发生错误。世界卫生组织推荐的测量方法是：被测者直立，双脚分开 25～30 厘米，体重均匀分配。测量者将皮尺放在最下面一根肋骨下缘与骨盆骨上缘（髂嵴）连线中点的水平位置进行测量。皮尺要紧贴着皮肤，但不能勒压软组织，测量应精确到 0.1 厘米。男性腰围大于 90 厘米即 2 尺 7 寸，女性腰围大于 80 厘米即 2 尺 4 寸，应视为苹果形肥胖。

腰臀比是早期研究中使用的测量肥胖的指标，现在已不像单纯测量腰围那样常用。其中的臀围是水平测量臀部最宽的部位的周径。如果男性的腰臀比超过 0.90，女性的腰臀比超过 0.85，则考虑为苹果形肥胖。

可怕的代谢综合征

- X 综合征是一种现代病
- 胰岛素抵抗是"根"
- 八个"高"是一组病

现在有一句时髦的话，叫做"要想富，多种树"。枝叶茂密，绿阴成行，增加森林覆盖率，确实是我们梦寐以求的事。但是也有一棵树特别不好，甚至十分可怕，这棵树就是"代谢综合征"。代谢综合征原称 X 综合征，是国外一个叫瑞文的学者于 20 世纪 80 年代末期提出的一个概念。他观察到随着经济的发展和人们生活水平的提高，许多原有的疾病，尤其是传染性疾病逐渐被肥胖、高血压、冠心病、脑血管病等慢性非传染性疾病所取代，这些现代病常常同时存在，有着共同的致病基础，他把这组疾病称为 X 综合征。他的观点很快被大家所接受。因为 X 综合征包括许多代谢紊乱，所以后来人们把 X 综合征改名为代谢综合征。经过众多学者的研究和补充，到目前为止，大家公认代谢综合征至少包括**以下八个"高"：高体重（包括超重或者肥胖）、高血糖、高血压、高血脂（血脂异常症）、高血黏稠度、高尿酸血症、高脂肪肝发生率，以及高胰岛素血症（胰岛素抵抗）**等，可以看出，这八个高没有一个是好东西。据现代医学的观点，这八个"高"中，前七个都属于枝丫，只有胰岛素抵抗是根，是另外七个"高"的根源和基础。所以又有人建议用胰岛素抵抗综合征取代代谢综合征更为合适。一般认为，如果一个人具有上面说的八个高中的两个或者两个以上，比如肥胖者又同时有高血压和高血脂，那他就算是有代谢综合征了。现已公认，代谢综合征是包括心脑血管病、高血压、糖尿病、痛风等的多种现代疾病的共同病因。这些疾病有共同的病因和致病因素，也有共同的预防策略，预防住一个，也就能预防一系列疾病。如果你光是砍砍枝丫，去解决一个一个的"高"，那还只是治"标"，只有斩草除根，解决了胰岛素抵抗，那才是治了"本"。

但是话又说回来，肥胖，就是引起胰岛素抵抗的重要原因。所以，**减肥就成为预防和治疗糖尿病、高血**

压、血脂异常症和冠心病等现代疾病极为重要的环节。

先看看糖尿病。大家知道，胰岛素是人体内最主要的降血糖激素。人在进食后将大量的糖分吸收入血液，通过血液循环运往全身各处。在这里，胰岛素就像一把打开细胞大门的钥匙，只有胰岛素作用正常，血糖才能进入细胞，被人体利用，同时血液中的葡萄糖水平被胰岛素维持在一定的范围内。胰岛素如果不足，或者是作用比较差，血糖就会增高，甚至得糖尿病。很遗憾，在肥胖者体内，上述的葡萄糖转运机制发生了很多毛病。首先，肥胖者脂肪细胞体积增大，细胞表面的胰岛素受体密度有所减少，使胰岛素的作用下降。其次，肥胖常有血脂不正常，过高的血脂可能沉积于胰岛 B 细胞，产生"脂毒性"作用，使胰岛 B 细胞像秋天的落叶一样发生"凋亡"，胰岛素也分泌不出来了，结果血糖增高，成了糖尿病病人。

肥胖与高血压密切相关。肥胖者容易患高血压，在儿童时期就有此表现，肥胖儿童有时出现血压波动。20～30 岁之间的肥胖者，高血压的发生率要比同年龄而体重正常者高一倍。40～50 岁的肥胖者，高血压的发生机会要比非肥胖者多 50%。有人发现，身体超重的程度与高血压的发生也有关系，**体重越重，患高血压的危险性也就越大。**一个中度肥胖的人，发生高血压的机会是身体超重者的五倍多，是轻度肥胖者的两倍多。然而，经过减肥，高血压是可以明显减轻甚至完全消失的。在降低血压的同时，减肥还可以减轻糖尿病和血脂异常症，并增强体质，所以也会大大降低心脑血管疾病的危险。

肥胖与血脂异常症的关系也很大，血脂异常症即指血液内的脂质成分含量过高的一种疾病。人血液中有的脂蛋白是具有保护作用的"好的"脂蛋白，也有不少是"坏的"脂蛋白。任何一种或几种"好的"脂类过低，或者"坏的"脂类高过正常范围，都属于血脂异常症。肥胖者血脂异常症常见而且比较重。血脂异常症的主要危害是引起动脉粥样硬化。心脏的血液供应依赖于冠状动脉，如果位于心脏上的冠状动脉出现了粥样硬化，那么血管的管腔就会狭窄，从而引起心脏缺血，这就是冠心病。血脂异常症还能造成脑血管硬化，脑血管硬化者就容易发生卒中。**肥胖者的血脂异常症是可以通过适当的减肥和饮食治疗得到控制的**，但是相当一部分病人仍然需要服用调脂药物来把血脂调整到正常。

此外，肥胖也是造成高血黏稠度、高尿酸血症、高脂肪肝发生率，以及高胰岛素血症等代谢综合征多种指标的原因。所以看来，**肥胖和代谢综合征的发生关系密切**，而减肥就是抗拒讨厌而又可怕的代谢综合征的重要手段。

♥ 吃得多、活动少是肥胖的根

✚ 内因：一家三代，代代胖
✚ 外因：多吃、乱吃、不爱动
✚ 高招儿：少吃多动

　　肥胖的确切发病机制还不十分清楚。但物质不灭，能量守衡，发胖肯定是吃得过多，超过身体的消耗而造成的。任何因素，只要使能量摄入多于能量消耗，都有可能引起肥胖。

　　从医学角度来看，慢性病都是遗传因素和环境因素长期共同作用的结果。遗传因素是内因，是基础；环境因素是外因，是条件。外因通过内因而起作用。

　　肥胖肯定与遗传有关，"龙生龙，凤生凤，老鼠的儿子会打洞"嘛，"一家三代，代代胖"的现象屡见不鲜。有人发现，父母有一方肥胖的，子女肥胖的可能性有 1/3；父母双方均为肥胖的，子女肥胖的发生率就上升为 50%～60%。有一项研究调查了 2 002 名肥胖儿童，有 72% 的胖孩子父母中有至少一人也有肥胖。另外一项研究表明，肥胖者的一级亲属中，比如说父母、兄弟姐妹或子女发生肥胖的机会比正常人群高一倍。也许有人怀疑说，父母子女或亲属同时肥胖，也可能是环境因素造成的，比如说他们在一个锅里吃饭，饮食习惯相同，或是全家都不爱运动等等，而不是遗传的关系，于是就有人做了更具说服力的试验。丹麦人专门研究了自幼寄养在别人家的孩子，结果发现他们的肥胖与养父母是否肥胖没有太大的关系，而是和亲生父母的肥胖程度关系密切。瑞典人则专门调查了在不同环境下长大的孪生子，发现他们依然容易同时发胖。这两项试验都巧妙地排除了环境因素的干扰，有力地说明了**肥胖确实有遗传倾向**。

大家知道，遗传是通过遗传基因来进行的。那么，肥胖的遗传基因是什么呢？科学家经过大量研究，已经在动物身上找到了"肥胖基因"，它可以在脂肪细胞里合成瘦素，用来调节食欲，控制脂肪的留去。如果在动物身上破坏了这个肥胖基因，就会使耗子变得肥头大耳。在人类的肥胖中还没有发现肥胖基因有异常，但是发现绝大部分肥胖者都有瘦素的水平增高，一些重度肥胖者的瘦素结构还有改变，所以推测肥胖者的瘦素受体（也就是瘦素的作用部位）对瘦素不起反应，就像胰岛素抵抗一样，存在着瘦素抵抗，从而造成进食过多，引起肥胖。还有不少其他与肥胖有关的基因也还在研究之中。肥胖与遗传密切相关，使人憧憬肥胖的基因治疗前景。我想基因治疗肯定将成为肥胖治疗的主角，但现在谈基因疗法治疗肥胖，还为时过早。

基因治疗肥胖暂时还不行，这就让我们更多地关注肥胖的环境因素吧。造成肥胖的环境因素很多，至少包括热量摄取过多、饮食习惯不良、体力活动过少等等。以前说"病从口入"是指饮食不卫生，吃进病毒或者细菌。现在也说"病从口入"，但主要是指过食肥甘厚味，大吃大喝，吃进去的热量大大超过身体所能消耗的，结果造成了肥胖。即使吃的热量一样，饮食习惯不良也会造成肥胖。比如说，吃得快的人就容易变胖。正常人吃进东西后，经过消化吸收，使血糖和血脂升高，升高的血糖和血脂就给下丘脑摄食中枢发去"够了，别吃了"的信号，人就产生了饱感，结果人就"适可而止"了。但如果吃得快，身体还来不及消化吸收，也来不及给摄食中枢发信号，就全都吃进去了，那还能不胖吗？另外有人给引起肥胖的生活习惯总结出"汤、糖、躺、烫"四个字，说的是**好吃汤羹油水大，好吃甜食热量高，好躺不动消耗少，好吃烫的吸收快**，在一定程度上可能引起肥胖。

运动过少肯定是造成肥胖的原因，反过来说，运动可以说是除了饮食控制外最有效、最重要的措施了。人们都知道"生命在于运动"，其实，减肥更在于运动。科学合理的减肥锻炼，可有效地消耗体内的脂肪和糖，使热量的消耗大于热量的摄入，从而达到减肥的效果。我们先看看脂肪积累的过程。热量的主要来源是食物中的脂肪和糖。脂肪进入人体之后，转变成游离脂肪酸和甘油三酯储存于脂肪细胞内。而食物中的糖如果过剩，在进入人体之后，也可转变成脂肪蓄积。日积月累，体重自然升高，脂肪比例自然增加，肥胖就由此而产生。我们再看看脂肪消耗的过程。肌肉运动需要大量的能源，这些能源要靠脂肪和糖的"燃烧"来供给。运动时，肌肉组织对脂肪酸和葡萄糖的利用大大增加，使得多余的糖只能用来供能，而无法转变为脂肪而贮存。同时随着能量消耗的增多，贮存的脂肪组织被"动员"起来燃烧供能，体内的脂肪细胞缩小，因此减少了脂肪的形成和蓄积。肌肉运动的强度越大，持续时间越长，消耗的能量就越多，体内的脂肪和糖就越少。由此可达到减肥的目的。

减肥的原则

● 吃：定时定量不吃零食
● 动：坚持、规律、自信
● 药：仅仅是辅助

　　当您通过饮食手段减肥的时候，需要掌握以下的原则，才能既不对身体造成伤害，又能达到良好的减肥效果：①定时定量进餐，不吃零食：每日至少固定早、中、晚三餐，最好在上午10点和下午4点左右适当加餐水果或少量点心。这样，虽然进食量很少，仍有助于减少饥饿感。特别应注意晚餐后不要再吃其他零食，尤其是甜点心、巧克力和大量花生瓜子等致胖食品。②三餐热量分配要得当：早餐吃饱，午餐吃好，晚餐吃少的原则较为适宜。③多吃含热量低、饱腹感强的食品：减肥的失败大多由于难挨的饥饿，而无法坚持下去。选择蔬菜、粗粮等热量较低的食品，会产生很大的容积而消除饥饿感，有利于减肥的执行。④控制饮食总热量，选择营养均衡膳食：饮食减肥的最重要原则是限制每日所有食物的总热量，保证其他营养素的充足供给。⑤节食食品应美味可口，切忌单调无味：减肥饮食并不应该成为单调口味的膳食，热量不高的美味佳肴更有利于减肥计划的执行。⑥减肥计划应适应自己的饮食习惯，简便易行：减肥膳食必须符合减肥者的饮食习惯，尽可能不要差距太大。同时，膳食的制作应简单易行，大众化，不论在家中还是外出都能执行，以免减肥中断。⑦贵在坚持，持之以恒：减肥绝不是权宜之计，即使当体重达到理想后，仍应坚持减肥饮食，因为肥胖的"反弹"时刻环绕在您的周围。

饮食减肥的注意事项

- 千万别放开吃
- 越减肥越要护肤
- 快减伤身

成功的减肥需要以非常坚强的意志和科学的知识为后盾，因此在节食减肥中应注意下列几点问题：①不要期望家人、朋友会帮助您减肥：要警惕他们的"好心劝告"，绝不放松对饮食的控制。②准备适当的衣物：减肥中不要购置太多的衣物，但可以准备一些自己很想穿但现在无法穿下的衣服，作为奋斗的目标，时时激励自己坚持完成减肥目标。③减肥过程中更要注意保护皮肤，尤其是年轻女性。颜面部皮肤容易因体重下降而松弛，越是体重下降就越要注意护肤。④不必每天称体重：每天称体重会给人一种错觉，感觉体重下降得很慢。⑤广而告知：到别人家做客的时候，尽量告诉主人说您正在减肥，不能吃点心之类的甜食。如果邀请别人来做客，也应尽量选用健康食品。⑥集体减肥：这种做法比个人单独减肥更容易遵守规定。集体减肥会让您不感到孤独和拥有相同的"战友"，同伴的成功也会激励您的坚定信心，将减肥坚持下去。⑦减肥切勿操之过急：过快的减体重可能出现危险，影响您的健康。每月1～2千克已经是极好的成绩了。告诉您一句减肥口号：积少成多，贵在坚持。

运动减肥的益处

- 改善心肌代谢
- 改善肺的功能
- 增强胃肠蠕动
- 调节血脂

运动对肥胖者而言，其好处不仅仅限于降低体重，它还至少有以下六点有益的作用：①运动可改善肥胖者的心肌代谢状况。不少肥胖患者伴随有心脏功能降低，适当的运动可加强心肌的收缩能力，增加血管的弹性，加速血液循环。②运动还可以改善肥胖者肺的功能状况，增强呼吸肌的力度，增加胸廓活动范围，增加肺活量，改善肺的通气能力，使气体交换频率加快，有助于氧化燃烧多余的脂肪组织。③运动还可以改善肥胖者的消化器官活动相互调节的能力，包括增加胃肠蠕动，改善胃肠血液循环，减少腹胀、便秘等消化道不良反应。

④运动还有助于调节肥胖者的血脂。由于肥胖人群中血脂异常症的发病率极高，故通过运动调节血脂就显得更有意义。很多研究表明，运动可使血中胆固醇和甘油三酯的含量降低，这有利于减少冠心病等发病的危险。⑤运动可使肌肉等组织对胰岛素的敏感性增加，增强肌肉的柔韧性；并能增加骨基质和骨钙含量，进而增加骨骼强度，降低骨折发生率。⑥运动可使肥胖者感到心情松弛、愉快，培养自信心，有助于培养良好的有规律的生活习惯。

♥ 三"管"齐下，减肥有望

✚一管：少吃还要合理
✚二管：多动也要会动
✚三管：吃药学会选择

第一"管"：饮食控制，合理营养干预肥胖

1. **减少热量供应，迫使体内脂肪氧化。**低热量饮食包括：①蔬菜：没有比蔬菜更好的减肥食物，尤其是以下几种蔬菜：韭菜能增强胃肠蠕动，有很好的通便作用，能排除肠道中过多的营养，包括多余的脂肪；冬瓜能分解过剩的脂肪，有通便作用；胡萝卜富含果胶酸钙，促使血液胆固醇的水平降低；海带富含牛黄酸、食物纤维藻酸，可降低"坏的"血脂及胆汁中的胆固醇；

豆制品含丰富的不饱和脂肪酸，能分解体内的胆固醇，促进脂肪代谢；黄瓜有助于抑制各种食物中的碳水化合物在体内转化为脂肪；白萝卜能促进新陈代谢，避免脂肪在皮下堆积；绿豆芽产热少，不易形成脂肪而堆积于皮下；另外，芹菜、甘蓝、青椒、山楂、鲜枣、柑橘以及紫菜、螺旋藻等，均具有良好的作用。②乳脂品：无脂牛奶或低脂牛奶、酸奶。③饮料：多饮无糖饮料和白开水，少喝或不喝含酒精的饮料。④肉、鱼：鱼和海产品是最佳选择；里脊是牛、猪、羊肉中最瘦的肉。⑤蛋：用水煮蛋代替油煎蛋，用蛋清代替全蛋等等。

2. **高蛋白、低脂肪，节制碳水化合物。**三者各占总热量的比例约为 15%～20%、20%～25% 和55%～60%。

3. **维生素、矿物质、微量元素和膳食纤维供量充裕，**以维持正常代谢，保持营养平衡。粗粮、谷类、豆类、蔬菜和菌藻类营养丰富，并含有多种膳食纤维。其中果胶、木质素、海藻多糖等与胆盐有极强的结合力，使胆酸排出量增加，血与肝中胆固醇含量显著降低。藻胶、果胶、魔芋对降低餐后血糖亦有良好作用。膳食纤维吸水量多，易产生饱胀感减少食量，还能刺激肠道蠕动，有利通便，减少致癌物质对肠壁侵袭，有助防癌。

4. **适量饮水、少吃盐、限酒、戒烟。**饮水不足可引起机体脱水，使胖人排汗功能紊乱，引起烦渴、头痛、乏力，尿液浓缩，肾排毒不畅，胆汁浓缩淤积，导致肝胆结石。足量的水，有助于稀释血液，扩张血管，改善血流灌注，防止中老年肥胖者心脑血管疾病发作。酒精发热量高，胖人不宜。食盐限量，以免诱发高血压。限食嘌呤含量较多的食物以减少尿酸生成，防止痛风。

5. 食物多样，科学调配，合理烹制，化解热能。

6. 进餐规律，定时定量，细嚼慢咽，不求甚饱。

第二"管"：适当运动，有氧代谢，科学减肥

许多胖人觉得天天上班也没少折腾，动得不少了。有人洗衣、买菜、做饭，觉着活动量也够了，天天活动就是不掉"肉"。其实，动是动了，没有科学地动，效果肯定是不好，我们提倡的是有氧代谢运动。

有氧代谢运动是指那些以增强人体吸入、输送以及使用氧气能力为目的的耐久性运动。在整个运动过程中，人体吸入的氧气大体与需求相等，即达到平衡。它的特点是强度低、有节奏、不中断、持续时间较长。一般来说，有氧代谢运动对技巧的要求不高，例如步行、跑步、游泳、骑自行车、跳健身舞等等都可以。这些活动能有效地改善心、肺与血管的机能，而这些器官对人的健康是至关重要的。

运动能提高基础代谢率，使体内脂肪迅速燃烧，**每次运动后，人体基础代谢的升高可持续 24 小时**，所以两天运动一次（每周运动三次），每次半小时以上，就能使人体的基础代谢率不致减缓。

有氧代谢可减少体内多余的脂肪。有氧代谢运动加上适当的饮食控制，能最有效地除去体内多余的脂肪，

而且不会像有些不科学的减肥方法那样损失肌肉成分。0.454 千克（1 磅）脂肪等于 355 千卡热量。如果每天增加两次快走散步（每分钟 120 米），每次 20 分钟，那么两个星期就可以减掉 0.5 千克脂肪，一年可以减 12 千克纯脂肪，而且这种运动并不是非常剧烈或强度很大的，重要的是持之以恒。

第三"管"：安全的药物辅助

当饮食、运动等疗法没有达到理想的减肥效果时，适当服用一些减肥药还是有帮助的。减肥药的作用方式至少有三种：①食欲抑制剂：降低食欲，少吃减肥。食欲抑制剂大多数是通过儿茶酚胺或者 5 - 羟色胺等中枢神经介质，调节下丘脑摄食及饱感中枢而发挥减肥作用的。如苯丙胺及其衍生物、吲哚类药物、5 - 羟色胺药物等等。②吸收抑制剂：让人吃得进去却吸收不了。如消胆胺，可以结合胆汁酸，抑制甘油三酯的消化，从而减少脂肪的吸收。还有一些药物可以阻断胰腺脂肪酶的作用，减少脂肪在肠道的水解，同样可以减少脂肪的消化和吸收。③代谢促进剂：增强代谢，促进消耗。目前可用的药物包括双胍类降糖药、肾上腺素能类药物、神经肽类（如瘦素和胆囊收缩素等）以及糖酸等等。此外，一些人工合成的甜味剂，如阿斯巴甜，既可解馋，又不增加热量的摄入，这样就相对减少了吃糖的机会，起到间接减肥的作用。但是值得提醒的是，**减肥的关键是饮食控制和体育锻炼，任何药物都可能有副作用，都要花**

钱，都只能作为饮食和运动疗法的补充。

很多胖人，尤其是女性，都成了减肥试验田了。广告上一种新的减肥药播出，立马就成了热中者，吃了一段，效果不好，便垂头丧气。再看到新的减肥广告，便又好了伤疤忘了疼，接着掏钱买药吃。吃了不管用，或一不吃又反弹，减肥信心受伤害。结果是钱也花了，劲也费了，人比减肥前更胖了。周而复始，钱照花、人照胖，一边埋怨、一边找新的减肥药。

肥胖者必要时可以吃减肥药，但要在医生指导下服药。医生会帮助判断你是否肥胖，肥胖的程度如何以及什么是引起肥胖的因素。如果确属肥胖，医生会对你的健康情况进行检查和评估，按照肥胖的成因来对症治疗。如果是继发性疾病引起的肥胖，首先应该对继发性疾病进行治疗。如果只是单纯性的肥胖，则会针对肥胖的具体情况，对饮食和生活方式进行科学指导，并在此基础上帮助你选择作用好、副作用小的减肥药物，制定科学、可行的减肥目标。若肥胖伴随有高血压、血脂异常症、高血糖等疾病，则应到专科门诊进行相应的治疗。国际上许多国家都淘汰了对人的心脏瓣膜有损害的芬氟拉明，但有些生产减肥药的厂家还使用这类药，而且不在说明书上写清楚，包括有些中药减肥制剂，说明书也写得很不清楚，这对减肥者来说是一种伤害。

♥ 风靡世界的自然减肥风

✚ 服花粉、吃蔬菜
✚ 涂石蜡、涂泥巴
✚ 喝凉开水、缠绷带

《北京晚报》"健康快车"上，刊登了一些风靡世界的减肥方法，但是否适合于我国肥胖者使用，还有待于观察。现将这些方法罗列于下：

1.花粉减肥法：这是流传在美国的一种减肥方式，服用花粉制剂不仅能使疲劳的身体恢复气力和精力，还可以使肥胖的体重减轻。它的优点还在于对人体无任何毒副作用。

2.石蜡减肥法：这是一种把液体石蜡涂抹全身，使患者大量流汗的减肥方法。通常涂抹石蜡温度处于 42 ℃左右，涂抹到身上后，石蜡慢慢硬化，将身体罩在已准备好的透明塑料中，打开红外线灯，照射全身，在封闭状态下保持一定温度，使人不断出汗。此法还能护肤。但由于出汗较多，心脏病、高血压病、糖尿病患者不宜使用此法。

3.饮水减肥法：饮水减肥法要求每日饮用凉开水 2 000 毫升左右。研究证实，人体假如减少水分的摄入，脂肪就会逐渐沉积；反之，脂肪的贮存就会减少。人体内水分不足，肝肾功能就会受到影响，肾脏的生理功能不能正常发挥，肝脏就会过重负担，就会使脂肪代谢减慢，脂肪堆积，身体发胖。

4.缠带减肥法：此法通过绷带对局部肌体的束缚，来达到减肥目的。首先是把要减肥的部位通过按摩或其他方法使皮肤潮热，然后开始缠绕绷带，绷带包得太松不起作用，绷得太紧会使血液循环和神经受损，故绷带的缠法是个关键，要缠得不松不紧，恰到好处。

5.蔬菜减肥法：蔬菜所含的纤维素、特殊营养成分和水分对减轻人类体重，减少脂肪的堆积都极有好处。蔬菜中的纤维素在肠道中停留时间短于其他食品，可以干扰营养物质的过分吸收，减少脂肪堆积；同时纤维素本身的产热能力极低，可以降低热量的贮存。此外，蔬菜中含有的许多物质都能促进脂肪的分解，使体内的脂肪消耗。有利于减肥的蔬菜包括：芹菜、白菜、菠菜、韭菜、白萝卜、黄瓜、大葱、南瓜、冬瓜、豆芽菜等。

6.泥巴减肥法：这是利用一种特殊的泥土敷满身体的护肤美容减肥法。这种方法流行于德国，它所使用的泥土就是德国巴伐利亚的"酸性白土"。方法是把白土晒干研磨成粉，加入鸡蛋、橄榄油与蜂蜜，调匀成浆。使用时把粉浆涂于热浴后的身体上，或涂白土后再用塑料布包裹身体。因为泥浆易干，在涂抹后还要不断洒水以保持功效。两种方法最好都辅以按摩和桑拿洗浴。

7.水疗减肥法：这是一种新的水疗减肥法，从国外流行到国内，尤其一些偏胖的女明星更趋之若鹜。其过程是听着"心灵音乐"，闻着花香精，享受按摩与水柱冲击，让自己完全地放松，促进新陈代谢。这种方法对平日压力大的肥胖者最有效。不但如此，最让人满意的是它使人能在半睡半醒中减肥瘦身，保持苗条身材。

8. **军训减肥法**：在韩国光华岛上，有一种非常恐怖的减肥训练营，在这里你可以看到全身泥泞、匍匐前进的女性，她们受到海军陆战队的魔鬼式操练，以达到减肥的目的。

♥ 警钟：中国糖尿病正在暴发流行

+ 20 世纪 70 年代：糖尿病患病率不足 1.0%
+ 目前 2 型糖尿病人近 4 000 万人
+ 每年增加 120 万，每天至少增加 3 000 人

记得有一次我和另外三个同事坐在一辆面包车上，大家谈到糖尿病病人越来越多的现象，十分感慨。细说起来包括我在内，四个人都有糖尿病家族史。正在感慨之余，司机说话了："我也算一个，我母亲也是糖尿病。"一辆车上五个人，拐弯抹角地个个家里都有糖尿病病人，可见糖尿病患病率之高。那么，我国糖尿病病人到底有多少呢？由于我国地域辽阔，人口众多，经济发展很不平衡，这给糖尿病的流行病调查工作带来一定困难。现有资料表明，与其他从穷到富的发展中国家一样，我国糖尿病病人的数量正在以惊人的速度急剧增多。20 世纪 70 年代末期，我国 20 岁以上人群中糖尿病的患病率不足 1.0%，1996 年已经上升至 3.2% 左右，

而且还在以 1.0‰ 的速度逐年增加。北京等经济比较发达的地区患病率已高于 5.0%。据估计，目前我国 1 型糖尿病病人已达 400 万人，2 型糖尿病病人已近 4 000 万人。算起来，**每年我国糖尿病病人至少增加 120 万，每天至少增加 3 000 人。**说我国糖尿病正处于暴发性流行，一点儿都不夸张。

发病特点：快、高、早、大

- 黑脖子、黑胳肢窝是"糖童子军"
- 城里人比村里人更受"糖"青睐

除了发病率急剧增高以外，我国糖尿病发病情况至少还有以下 4 个特点。

快：2 型糖尿病比例大于西方国家，近年来增加最快的也是 2 型糖尿病。和国外一样，我国糖尿病病人也是以 2 型为主，但是 2 型糖尿病的比例似乎更大。这可能是因为包括日本、韩国和中国在内的东亚国家中，有一种"缓慢进展的 1 型糖尿病"，最初看起来像是 2 型糖尿病，但最终还是变成靠打胰岛素为生的 1 型糖尿病。缓慢进展的 1 型糖尿病多这个事实给临床诊断造成困难，使不少 1 型糖尿病开始时被诊断为 2 型糖尿病，结果看上去 2 型糖尿病似乎比西方国家更多。

高：存在大量血糖升高者。有时病人到医生那里做检查，医生告诉他说："你的血糖不正常，但也不到糖尿病。"弄得病人莫名其妙，忐忑不安。其实这就是糖尿病的前期阶段，这种人得糖尿病的危险比血糖正常的人大得多，他们就是糖尿病病人的后备军。遗憾的是这种人在我国是"大有人在"。

早：**发病年龄的年轻化**。如果你解剖一个家族，有一种现象十分普遍：一个家族史如果三代都有糖尿病，那么祖父祖母可能 60～70 岁得病，父母可能是 40～50 岁得病，到了子女这一代，可能 20～30 岁就得上糖尿病了，越来越早。不仅如此，最近几年，连儿童都加入到 2 型糖尿病的队伍中来了。有的小孩极胖，脖子和胳肢窝黢黑，血糖高到诊断糖尿病的标准，已是糖尿病但却不用打胰岛素。有的家长看到孩子的脖子又黑又粗糙，责怪孩子怎么老不洗脖子，殊不知这种粗黑我们称之为**"黑棘皮病"，是肥胖引起的胰岛素抵抗的结果**，除了减肥以减轻胰岛素抵抗之外别无选择，洗根本洗不干净。目前在我国这种儿童 2 型糖尿病已经占到儿童糖尿病的一半，外国如日本甚至远远超过一半。刚刚在北京结束的第五届国际糖尿病联盟西太区大会已经把儿童 2 型糖尿病的问题提到相当重要的地步，说明这个问题的重要性和紧迫性。

大：**糖尿病发病情况不平衡**，差别大。不同省份相差悬殊，同一地区也可差别巨大。一般而言，**城市比农村高**，但在一些大城市的城乡结合部，糖尿病人数后来居上，大有抢夺"糖尿病状元"之虞。

"节约基因"惹的祸，环境因素是帮凶

- 家有糖尿病者更易得
- 从贫变富的民族更易得
- 老龄化的国家更易得
- 动的少、吃的多、紧张劳累更易得

为什么我国糖尿病病人突然变得这么多?

我们常说，糖尿病的病根有两个，一个是遗传病根，另一个是环境病根。确实不错，糖尿病是遗传的。**一个家族中有几个糖尿病病人的机会普遍存在**。我就见过一个老母亲和兄弟姐妹五个人，个个都是糖尿病的现象。那么糖尿病遗传的是什么呢?当然不是糖尿病本身，而是容易得糖尿病的体质，或者说容易得糖尿病的基因类型。1型糖尿病的基因目前已经比较明确，关键性基因大概有十几个。对于2型糖尿病来说，这些基因类型还远远没有搞清楚，所以有人就把这类**造成2型糖尿病的基因统称为"节约基因"**，其中的意思就是这种基因使人具有"积攒能量，以备荒年"的能力。也就是说为了适应饥寒交迫的生活环境，在贫困国家以及富裕国家中的贫困民族居民的体内，逐渐产生一种"节约基因"，有这种基因的人在能得到食品的时候，善于把热量积攒起来，以便将来忍饥挨饿之时能躲过一劫，不至于被饿死。结果在饥荒来临之时，缺乏这种基因的人就容易被饿死，有这种基因的人就可以幸免于难，得以存活。由于适者生存的道理，久而久之，贫困国家或贫困人群中能够存活下来的人多半都具有"节约基因"。可以说，在贫困时期，具备"节约基因"是一件好事，使个体得以生存，种族得以延续。在那个时期，自然对人类进行着第一次淘汰，让那些没有"节约基因"的人被饿死。但到了不愁温饱的时候，"节约基因"又从好事变成了坏事，使人还没吃几天饱饭就发胖，就产生高血压和血脂异常，容易得糖尿病、冠心病和脑卒中。到这会儿，自然又对人类进行第二次淘汰，**这回淘汰的是"节约基因"丰富的人，让他们得上现代病，残废或者过早死亡**。这个事实说明一个道理，那就是生活水平必须和基因类型相适应，否则人就活不好，甚至就活不了。但是遗传基因变化甚慢，基因的改变往往需要几代的时间，而生活的改变则可在数年中发生。当生活模式发生剧变之时，遗传基因的变化往往赶不上生活水平的变化。因此生活水平的变化超过遗传基因变化的速度之时，也就是糖尿病暴发性流行之日。这就是糖尿病遗传因素的意思。

当然，光有遗传因素还不成，还得有环境因素。遗传因素是内因，环境因素是外因，外因通过内因而起作用。这就像光有种子，没有合适的温度、水分和土壤，种子也不能发芽一样。导致 1 型糖尿病的环境因素可能有病毒或毒物感染等等；而**导致 2 型糖尿病的环境因素则包括肥胖、体力活动过少和紧张焦虑等等**。要说基因，那可不是一年半载就能形成的，那是数百年上千年逐渐积淀的结果。而我国糖尿病病人剧增的现象，是近 20 年才出现的。为什么近 20 年会有如此巨大的变化呢？

究其原因，我想包括以下几条：①经济状况迅速改变。原来中国人比较贫困，多数人仅处于温饱状态，体形也比较瘦。那时候，你不想控制饮食行吗？每月就那么几两肉、几两油，剩下的就是那么干巴巴的30来斤粮食。那时候人们可不得糖尿病，得的是浮肿和肝炎。随着我国经济水平迅速提高，多数人可以随意吃喝，甚至是想吃什么就吃什么，这就给肥胖和糖尿病提供了物质基础。②老年化倾向。据研究，随着年龄的增高，糖尿病的患病率显著上升，人们管这种现象叫"增龄效应"。目前，我国人均寿命正在逐步增高，已经比解放初的40岁上下几乎翻了一番。如果一个国家60岁以上的人超过10%，或65岁以上的人超过7%，那这个国家就进入老龄化国家。我国在2000年就已经进入老龄化社会了。糖尿病的发病年龄固然有年轻化趋势，但毕竟还是老年人容易得；而且即使是青年得病，糖尿病也不会一下置人于死地，总会带着疾病进入老年。所以**老年人多，糖尿病人数目就增长**，这也是可以想像的。③对糖尿病的警惕性及糖尿病的检测手段的提高。现在诊断糖尿病是十分容易的事，甚至可以凭一滴血而查出糖尿病。所以说，**现在只有想不到糖尿病，没有查不出糖尿病的**。这也使糖尿病的发现率有所提高。④生活模式的不科学、不健康。现在我国人民生活水平正在迅速提高，但自我保健意识和保健知识并没有随之提高，而显得相对匮乏。生活模式不科学、不健康者大有人在。首先是对糖尿病无知，为无知而付出代价。其次就是大吃大喝、热量摄取过多。第三是体力活动太少，有道是

"上楼坐电梯，出门就打的，整天看电视，少动多休息"，那能不胖吗?最后是生活节奏快，长期处于紧张焦虑状态的情况比较普遍，这也能促使糖尿病的发生。

此外糖尿病还有其"促发剂"，能加速糖尿病的来临。**如大量的甜食和劳累、感染等其他应激状态。**吃甜食本身倒不会引起糖尿病，但到了糖尿病已经"万事俱备"之时，大量甜食可能就是那个"东风"了，会使已经疲惫不堪的胰岛像一匹累垮了的马一样不再工作，血糖一下就升到了诊断糖尿病的水平。糖尿病的促发剂还包括紧张、劳累、精神刺激、感染、外伤、手术、分娩、其他重大疾病，以及使用升高血糖的药物等等。这些都是引发 2 型糖尿病的诱因。由于上述诱因，患者的胰岛素分泌能力下降，身体对胰岛素的敏感性降低，最后是血糖升高，变成了糖尿病病人。到目前为止，我们还无法控制人体的遗传基因因素，但能够对环境因素进行干预，以降低糖尿病的发病率。

♥ 糖尿病进行曲

+ "高危人群"是谁
+ "血糖增高"还不是糖尿病

无论是哪一种类型的糖尿病，都不是一步到位就得了糖尿病的，总有个发展过程。1 型糖尿病的发展过程往往很快，看起来像是突然发病的。实际上这类病人也有个潜伏期，先是胰岛受到病毒或者毒物的侵袭而遭到第一次破坏，然后就是从破坏了的胰岛细胞中流出的物质引起身体过敏，也就是发生了自身免疫性的情况，使胰岛又受到了自身免疫性的破坏，受了"二茬罪"，结果几乎所有的胰岛都被破坏，变成了1型糖尿病病人，不打胰岛素就难以维持生命。

2型糖尿病发生和发展就要经历一个更长的时间，这段时间一般为数年。**2型糖尿病发展的最早阶段可称为糖尿病的"高危人群"**，这段时间如果不注意，血糖就会一定程度地升高，走进第二阶段，也就是血糖增高阶段。血糖增高者要是还不提防，在不久的将来，就很有可能发展到最后阶段，变成糖尿病病人了。

所谓糖尿病的"高危人群"，就是指**目前血糖完全正常，但得糖尿病的危险较大的人群**。1型糖尿病的高危人群是指家族史阳性、具有某种遗传标志和免疫学标志的人群。如家里有人是1型和2型糖尿病，具有某种白细胞抗原类型或者某些能够破坏胰岛的抗体，如胰岛细胞抗体、抗谷氨酸脱羧酶抗体阳性者。2型糖尿病高危人群包括有糖尿病家族史者，也就是父母、兄弟姐妹或其他亲属有糖尿病者；肥胖者；曾有过高血糖或尿糖阳性者；生过4千克以上的巨大胎儿者。20世纪80年代末，有个叫瑞文的外国人提出一个名词，叫做X综合征，后来人们把X综合征改为代谢综合征，这个综合征至少包括八个"高"：**高体重**(超重或者肥胖)、**高血糖、高血压、高血脂**(血脂异常症)、**高血黏稠度、高尿酸、高脂肪肝发生率和高胰岛素血症**。一个人如果有这八个"高"中的两项以上，即使现在血糖不高，也很容易得糖尿病，因此有代谢综合征者也应该算作糖尿病高危人群。另外，还有人把吸烟者也列为糖尿病高危人群的范围，这就给吸烟又增加了一条罪状。**高危人群是糖尿病病人的后备军**，如不进行饮食控制、体育锻炼和心理调节，得糖尿病的机会要比其他人多得多。所以说，高危人群是我们防止糖尿病和糖耐量损害的重点对象。

在"高危人群"阶段没有控制好的人，大多数要进入"血糖增高"阶段。那么什么是"血糖增高"阶段？是指血糖已经升高，但还没有达到糖尿病诊断标准，血糖介于正常与糖尿病之间的一种情况。主要包括三种情况：①空腹血糖损害。意思是指空腹血糖高于正常，但又不到糖尿病诊断标准者。正常人的空腹血糖应在 $3.3 \sim 6.1mmol/L(60 \sim 110mg/dL)$ 之间，而他们的空腹血糖则在 $6.1 \sim 7.0mmol/L(110 \sim 125mg/dL)$ 之间，当然他们的餐后 2 小时血糖也必须没到糖尿病诊断标准。②餐后血糖损害。是指餐后半小时、1 小时血糖或者餐后 2 小时血糖至少有一项在正常和糖尿病诊断标准之间的状况，其他几项也没达到糖尿病的诊断标准。如他们的餐后 2 小时血糖在 $7.8 \sim 11.1mmol/L(140 \sim 199mg/dL)$ 之间。③糖耐量损害。又称糖耐量低减。这类人在做糖耐量试验吃葡萄糖之时，空腹和服糖后 2 小时都没达到糖尿病诊断指标，但服糖后 2 小时血糖在 $7.8 \sim 11.1mmol/L(140 \sim 199mg/dL)$ 之间。顺便说一下，糖耐量损害只能是糖耐量试验的结果，没做糖耐量试验，仅仅餐后 2 小时血糖介于 $7.8 \sim 11.1mmol/L(140 \sim 199mg/dL)$ 之间则不能诊断为糖耐量损害。**血糖增高者已不再是正常人，糖尿病的帽子就悬**

在他们的头顶之上，随时可能掉下来。但有人发现，此时如加以注意，大多数人可以不进展为糖尿病。所以说"血糖增高"阶段是避免糖尿病的最后关口。一旦得上糖尿病了，那可就是"戴帽子容易，摘帽子难"了。所以可以说，处于血糖增高阶段的人是我们预防糖尿病的重中之重。

是富贵病又是不文明病

● 富国的发病率不再升高
● 穷国的发病率升高得快
● 中国糖尿病急剧增长将持续 30 年

　　我曾写过一篇文章，主张糖尿病不仅仅是富贵病，而且是一种欠文明病，至今我初衷未改。随着社会的进步、人民生活水平的提高、预期寿命的延长以及糖尿病检测手段的发展，世界各国，包括发达国家和发展中国家，糖尿病的患病率都在升高，用于糖尿病防治工作的资金数额都在不断增加。发达国家糖尿病患病率已经高达 5% ~ 10%，但是他们的糖尿病发病率已经不再升高，有的国家还在降低。而在**发展中国家，糖尿病患病率增加的速度特别快**，甚至远远超过发达国家，尤其是在那些正在发生从穷变富的巨变的发展中国家，或者是富裕国家中的贫困民族。比如说世界上有两个地方以糖尿病患病率最高而出名，一个是暴富起来的原贫困国家——瑙鲁，另一个是富国里的穷人——美国皮玛部落的印第安人。瑙鲁原来是一个极端贫困的国家，当地土著居民刀耕火种，食不果腹，糖尿病发病率为 0。后来发现这个岛国遍地是宝——鸟粪，鸟粪是生产钾和磷的原料，从此这个国家从赤贫到暴富，糖尿病患病率一下子涨到了 40%。皮玛印第安人又是另一种景象，他们吃喝问题不大，但缺乏文化知识和保健意识，胖人极多，结果糖尿病患病率也超过 40%。这两个地区如不采取干预措施，已经存在着灭顶之灾的实际威胁。这些现象说明糖尿病不只是一个富贵病，而且是一种文明程度欠缺时期容易暴发性流行的疾病。在经济和生活水平发生巨变的地区，现实地存在着糖尿病暴发流行的危险。我们国家也是一个从穷到富的发展中国家，我国经济目前正处于从穷到富而迅速发展过程中，如不注意搞好全民的糖尿病防治工作，在不久的将来，我国糖尿病病人总数有可能超过 1 亿，那是一种多么可怕的情景呀! 所以预防糖尿病的发生，减轻糖尿病的危害，是摆在我们面前的一个刻不容缓的问题。

那么，我国糖尿病患病率急剧增长的势头还要持续多少年呢? 保守地估计，至少 30 年。以后虽然发病率还在继续升高，但升高的势头逐渐变慢，最后我国糖尿病也会像西方国家那样进入高患病率、低发病率的阶段。30 年不算估计过长，在这 30 年间，自然在对人类进行第二次淘汰，"节约基因"丰富的人难以对抗糖尿病、高血压、冠心病、脑卒中的攻击，逐渐退出历史舞台。50 年或者更长的时间以后，我国糖尿病病人的总数也可能开始减少。

♥ 糖尿病预防的三个层次

✚ 能不得糖尿病的人不得
✚ 得了糖尿病的不得并发症
✚ 得了糖尿病并发症要积极治疗

作为糖尿病病人，渴望自己的病情能有办法根治，这种心情是可以理解的，但到目前为止，糖尿病还不能根治。当然像任何其他疾病一样，糖尿病早晚也有被根治的一天，其中基因治疗（包括干细胞治疗）就是糖尿病的根治手段之一。1型糖尿病的基因比较局限，有人估计约13个基因较为重要，而且已经搞得比较清楚，因此用基因治疗而获得根治的希望比较大。有人甚至乐观地估计，1型糖尿病的根治问题，可能在10年之内就会有所突破。而2型糖尿病的根治则还有很长的路要走。所以我们不得不遗憾地说，根治糖尿病不是现在的事，到目前为止，糖尿病还没有根治的办法。也就是说人一旦得了糖尿病，暂时就没有可能治愈了。一切中西药物、保健品、食品和其他糖尿病治疗手段都无法根治糖尿病。如果有人说现在就能根治糖尿病，那就有两种可能，一种是他快要得诺贝尔奖金了，你想全世界都解决不了的问题，他却能够突破，能挽救数千万人于水火之中，他不得诺贝尔奖金谁得？另一种可能就是他看准了你的钱包，在夸大其辞，有些还可能是巫医假药。第一种可能不太现实，第二种可能你要小心。糖尿病病人千万不要轻信谣传，随意终止正规治疗，以至贻误病情，甚至酿成大祸。有些糖尿病病人的病情很轻，经过一段正规治疗，特别是适宜的饮食控制，血糖可以降至正常，甚至不用药也可维持血糖在正常范围。但这并不意味着糖尿病已被治愈，如果放松治疗，糖尿病的表现就会卷土重来。所以，糖尿病病人要做好打持久战的思想准备，长期坚持饮食治疗、运动治疗和糖尿病监测，必要时采用药物治疗，使血糖始终控制在满意水平，这样就可以使病人享有与非糖尿病患者一样的高质量生活和基本等同的寿命。

糖尿病到目前为止缺乏根治的手段，但都是可以预防的。糖尿病的预防可分为三个层次。首先是**糖尿病的预防**，也就是说让能够不得糖尿病的人不得糖尿病。其次是**糖尿病并发症的预防**，也就是说得了糖尿病，要及早发现，积极正确地治疗，使病人不得糖尿病的并发症。第三是**降低糖尿病的致残率和致死率**，也就是说有了糖尿病的并发症，要好好治疗糖尿病及其并发症，使糖尿病并发症造成的残废和过早死亡的比例降到最低水平。

多懂点儿、少吃点儿、勤动点儿、放松点儿

- 多懂糖尿病相关知识
- 少吃肥甘厚味、戒烟限酒
- 勤走、勤跑、勤活动
- 放松心情、乐观开朗

这里主要说说有关糖尿病预防的问题。到底应该怎

么预防糖尿病？中国有句老话，叫做"知己知彼，百战不殆"。我们预防糖尿病，就是要针对前面谈到我国糖尿病患病率急剧增高的基本原因，打好进攻战。前面已经说了，糖尿病发病率急剧增高的原因包括遗传的易感性、生活水平的提高、生活模式上的缺陷、平均寿命的延长和检测手段的提高。遗传基因我们目前还没有办法彻底改变，生活水平提高、平均寿命延长以及医疗条件的改善对我们来说是好事，这恰恰是我们所追求的目标。所以糖尿病的预防主要就是改变不科学、不健康的生活模式。为此我们应做好两件事，一个是健康教育，即大力进行糖尿病的宣传教育，尽量使糖尿病及其预防手段做到家喻户晓，人人皆知，使全民动员起来，和糖尿病作持久的斗争。忽视和低估糖尿病教育的意义是错误的，也是危险的。第二就是健康促进，我们不能仅仅停留在宣讲糖尿病知识上，必须给我们的人民做点实事，促使他们尽快改变不健康的生活模式，采取正确的、科学的饮食习惯，持之以恒地坚持进行体育锻炼，避免肥胖，少饮酒、不吸烟，保持心理上的平衡与健康，使糖尿病和其他慢性疾病的发生率降低到最低水平。同时，利用各种手段对整个人群，特别是糖尿病的高危人群进行糖尿病和糖耐量损害的筛查，以期尽早地发现和有效地治疗糖尿病。

既然现在糖尿病发病率这么高，对人类威胁这么大，我们一般人到底能做点儿什么，才能使自己得糖尿病的可能降到最低水平呢？我认为，人要是想不得糖尿病，至少要做到"四个点儿"，那就是"**多懂点儿，少**

吃点儿，勤动点儿，放松点儿"，这是我对国际上公认的预防糖尿病措施的概括。记得几年前我去香港参加第三届国际糖尿病联盟西太区大会，听到有个国家报告他们预防糖尿病的经验，叫做 "eat less, walk more, manage stress"，翻译成中国话就是"少吃，多走，放松"，这样做可以使新发生的糖尿病人数减少一半。我想这个提法简单易懂还好记忆。但我国情况是很多人对糖尿病全然不知或者知之不多，所以还得加上一条，那就是"多懂点儿"。所谓"多懂点儿"就是要多看看有关糖尿病的书籍、报刊、电视，多听听有关糖尿病的讲座和广播，增加自己对糖尿病的基本知识和糖尿病防治方法的了解。"少吃点儿"就是减少每天的热量摄取，特别是避免大吃大喝、肥甘厚味、吸烟喝酒等等。"勤动点儿"就是增加自己的体力活动时间和运动量，保持体形的健美，避免肥胖的发生。"放松点儿"就是力求做到开朗、豁达、乐观、劳逸结合，避免过度紧张劳累。如果一个人能够长期做到这"四个点儿"，糖尿病发病率至少能减少 50%。

驾驭五套马车　轻松过正常生活

- 真懂糖尿病
- 真会合理用餐
- 真去运动锻炼
- 真按时用药
- 定时监测病情

医生老是说要控制好糖尿病，到底什么叫控制好，又怎么做到控制好糖尿病?这是每一个糖尿病病人特别关注的问题。简单地说,和糖尿病斗法就是"驾好五套车,做到六达标,实现一个目标"。"五套车"是手段和措施,是解决怎么控制好的问题;而"六达标"是必经之路,是解决什么叫控制好的问题。最终的目标,还是为了让糖尿病病人正常地学习和工作,过上高质量的生活,并享受和非糖尿病者相同的寿命。

先说说"驾好五套车"的问题。早在半个多世纪以前,美国有一个叫焦斯林的著名糖尿病专家就把糖尿病的治疗比做是驾驭一辆三匹马的战车,这三匹战马分别是饮食治疗、胰岛素治疗(当时还没有口服降糖药)和运动治疗,精辟地提出了糖尿病的综合治疗原则。根据中国自己的实践经验,我国学者又提出了糖尿病五套马车的治疗原则,这恰恰与国际糖尿病联盟反复宣传的一个人耍五个小球的比喻不谋而合。

第一套马车——糖尿病的教育与心理治疗。其主要目的是让糖尿病病人真正懂得糖尿病,知道如何对待和处理糖尿病。

第二套马车——糖尿病的饮食治疗。使糖尿病病人做到合理用餐,给糖尿病的其他治疗手段奠定基础。

第三套马车——糖尿病的运动治疗。让病人长期坚持适量的体育锻炼,保持血糖水平的正常和身体的健美。

第四套马车——糖尿病的药物治疗。在单纯饮食及运动治疗不能使血糖维持基本正常水平时,适当选用口服降糖药或胰岛素,并根据临床需要,服用降压、调脂、降黏、减肥、降低胰岛素抵抗以及其他药物，使病人维持全面正常的状态。

第五套马车——糖尿病的病情监测。糖尿病病人要定期看病，得到血、尿各项资料，定期做心电图以及眼底检查，以期仔细了解病情，指导治疗。

驾驭好这五匹马，就能获得良好的糖尿病控制，避免急性或慢性并发症的发生和发展。

六项达标　生活质量高

- 多余的脂肪—减掉
- 升高的血糖—降低
- 升高的血压—平稳
- 异常的血脂—调节
- 黏稠的血液—不淤
- 胰岛素抵抗—减轻

我们当然要驾好五套车，但驾车并不是我们的目的，我们的目的是"硬硬朗朗地活着"。我们怎么样才能知道将来能不能"硬硬朗朗地活着"呢？这个衡量标准就是六项达标，**包括减肥、降糖、降压、调脂、降黏、减轻胰岛素抵抗，**也就是说做到不肥胖，做到血糖、血压、血脂和血黏度都满意，做到没有胰岛素抵抗，一共六条。只要认真做到这几条，不但能长寿，而且完全可以健康地长寿。

1. 减肥：众所周知，肥胖的危害很大。肥胖固然可以造成生活不便和心理障碍，造成衣食住行耗费加大，而更重要的是肥胖可带来多种疾病，同时造成死亡率的增加。**肥胖是糖尿病的基础**，因为两者关系密切，有人提议，干脆改糖尿病为糖胖病(diabesity)得了。想知道什么叫肥胖，什么叫超重，可以算一算自己的体质指数。体质指数＝体重(千克)÷身高(米)^2。对我们中国人来说，体质指数超过 24 为超重，超过 28 为肥胖。肥胖或超重的人都容易得糖尿病，得了糖尿病后又不容易控制好。糖尿病病人肥胖以后，对药物抵抗增加，吃药打针效果也差，所以必须减肥。减肥的策略主要包括少吃、多动，必要时用药物治疗。

2. 降血糖：糖尿病病人都知道，高血糖的危害很大，特别是对眼病和肾病等微血管病变，以及神经病变的影响大，对大血管病变也有影响。另外近年来有人发现，**血糖太高，还能产生对胰岛的"糖毒性"作用**，持续高血糖能毒害胰岛，造成胰岛素分泌功能日趋下降，最后导致功能衰竭，加重病情。所以必须把血糖降低到满意的水平。降糖策略包括饮食控制、体育锻炼，必要时进行药物治疗。血糖控制满意水平是空腹血糖 <6.1mmol/L(110mg/dL)，饭后两小时血糖 <7.8mmol/L(140mg/dL)，糖化血红蛋白 <7.0%。起码要达到可以的水平，那就是空腹血糖 <7.8mmol/L(140mg/dL)，饭后两小时血糖 <10.0mmol/L(180mg/dL)，糖化血红蛋白 <7.5%。

3. 降血压：高血压对糖尿病病人的危害不可小看。

高血压对糖尿病及其各种血管并发症有极为重大的影响，严格控制血压对降低糖尿病性心脑血管病变的意义甚至比控制血糖更重要。降压策略包括饮食控制、体育锻炼、戒烟限酒，必要时采取药物治疗。糖尿病病人的血压至少要做到＜18.6/12.0kPa(140/90mmHg)，最好能达到＜16.6/11.3kPa(125/80mmHg)。

4. 调血脂：血脂异常的危害很多人还认识不清。实际上血脂异常不但能十分严重地引起脑、心脏和下肢血管等大血管病变，以及微血管和神经病变，而且**血脂异常还能引起"脂毒性"作用，造成脂肪酸在胰岛内沉积，胰岛功能衰竭，是引起糖尿病的原因之一。**又有人提议把糖尿病叫做糖脂病(diabelipidtes)。所以血脂异常也不可不闻不问。调节血脂的策略包括饮食控制、体育锻炼、戒烟限酒，必要时采取药物治疗。

血脂控制标准如下：单位 mmol/L(mg/dL)

	满意	可以
甘油三酯	＜1.69mmol/L (150mg/dL)	＜2.25mmol/L (200mg/dL)
胆固醇	＜5.13mmol/L (200mg/dL)	＜5.64mmol/L (220mg/dL)
低密度脂蛋白	＜3.08mmol/L (120mg/dL)	＜3.59mmol/L (140mg/dL)
高密度脂蛋白	＞1.03mmol/L (40mg/dL)	＞0.90mmol/L (35mg/dL)

5. 降血黏：高血黏对糖尿病病人的危害，多数人还认识不到。**高血黏度可造成血液淤滞、供血不足、血管损伤、局部缺氧缺糖和酸中毒，加速糖尿病并发症的发生和发展**，还可影响糖尿病的治疗，所以也必须予以关注。与降压、调脂一样，降血黏度策略也包括饮食控制、体育锻炼、戒烟限酒，必要时药物治疗。

6. 减轻胰岛素抵抗：最后谈谈胰岛素抵抗的问题，这个问题糖尿病病人知之甚少。所谓胰岛素抵抗，就是身体对胰岛素反应不良，有胰岛素而没有相应的作用。2 型糖尿病实际上有两个问题，一个是胰岛素不够用，另一个就是胰岛素抵抗。**胰岛素抵抗的危害也很大**，它本身就是 2 型糖尿病的基础，也是**造成糖尿病慢性并发症的主要原因**。另外胰岛素抵抗严重影响糖尿病治疗的效果，尤其是肥胖的糖尿病病人，吃药和打针的效果都欠佳。减轻胰岛素抵抗的策略包括控制饮食、锻炼身体、减轻体重，必要及可能时服用减肥药物。

♥ 明明白白吃药，只选对的不选贵的

➕ 明白服用的药品
➕ 明白每种药的功效
➕ 明白每种药的副作用

跟大家谈谈糖尿病病人应该怎么正确使用口服药物的问题。糖尿病病人最常用的口服药包括口服降糖药、降压药、调血脂药和降血黏度药。选择口服药物是医师的任务，不要求病人学会自己决定用什么药。但是有的病人对药物一无所知，吃了几年药，连名字都叫不出来，只知道是"大白片"或者"小黄片"，这样吃药就太盲目了，也太缺乏自我保护意识了。所以，要求患者对药物的选择有个基本的了解。

口服降糖药

口服降糖药是糖尿病病人最常用的药物。所谓口服降糖药，就是指经口服用后有降糖作用的药物，主要指西药。目前临床上常用的口服降糖药包括磺脲类、苯甲酸类、双胍类、葡萄糖苷酶抑制剂和噻唑烷二酮五类，每类又包括许多种。磺脲类降糖药的主要作用是刺激胰岛素分泌，降糖作用为中等偏强，属于磺脲类的药品按每片剂量从小到大包括格列美脲、优降糖、美吡达（瑞易宁、迪沙片、优达灵）、克糖利、糖适平（格列喹酮）、达美康（格列齐特）、甲磺丁脲（D860）等等，其中优降糖作用最强，美吡达作用快而短，达美康和克糖利作用时间较长，糖适平可用于糖尿病肾病患者，甲磺丁脲价格便宜，各有特色。苯甲酸类降糖药（瑞格列奈、那格列奈）也刺激胰岛素，但和磺脲类不太一样。双胍类降糖药的主要作用是降低食欲，减少糖类的吸收，比较适合于较胖者服用，降糖作用也属中等。这类药物包括降糖灵（苯乙双胍、DBI）、降糖片（二甲双胍、美迪康、迪化糖锭、格华止）。降糖灵价格便宜，降糖片副作用小。葡萄糖苷酶抑制剂属于第四类口服降糖药，这类药作用与前三种不太一样，主要是抑制糖类的分解，延缓葡萄糖的吸收而降低餐后血糖，包括日本产的倍欣和德国产的拜唐苹（原名拜糖平）。噻唑烷二酮类可在多个层次增强机体对胰岛素的敏感性，减轻机体胰岛素抵抗，所以原来被称为胰岛素增敏剂，如罗格列酮（文迪雅）和吡格列酮。这五类口服降糖药可以联合使用，以增强降糖效果，但很少有人五类降糖药一块用的。

　　选择口服降糖药的品种有以下几个原则：①病型：1型糖尿病病人只能用双胍类、葡萄糖苷酶抑制剂或者噻唑烷二酮类三类降糖药，而2型糖尿病病人五类药均可以服用。②血糖高低：血糖较高的用较强或者作用时间较长的降糖药物。反之则用作用比较平和的药物。③胖瘦：较胖的人首选双胍类、葡萄糖苷酶抑制剂或者噻唑烷二酮类降糖药，偏瘦者首选磺脲类及苯甲酸类药。④年龄：年长者在服用降糖作用较强、作用时间较长或者降糖灵等药物时须加小心。⑤肝肾功能：肝肾功能不好的人在服用强效或长效降糖药时要留心，而且最好不要用降糖灵。

降压药

　　糖尿病病人的血压必须控制好。糖尿病病人在使用降压药之前，必须注意生活习惯的改善，包括多进高纤维低脂少钠食物、减肥、忌烟酒等，如果采取这些措施后血压仍高于 18.6/12.0 kPa(140/90 mmHg)时，应立即服用降压药。如果用药后血压仍未达标，就要加药或者换药。

目前可用于糖尿病高血压治疗的药物种类很多，包括：①钙离子拮抗剂：心痛定、尼莫的平、尼群地平等，除了降低血压外，还有缓解心绞痛的作用，为糖尿病高血压的首选治疗药物之一。②血管紧张素转换酶抑制剂(ACEI)：开博通、依纳普利、雅施达等。它们不影响糖、脂代谢，还可降低尿蛋白，也是糖尿病高血压首选治疗药物之一，但血肌酐升高者不能用，个别人服用开博通后会有干咳等症状。近年来还有血管紧张素Ⅱ受体拮抗剂，如科素亚、缬沙坦，用后能与血管紧张素转换酶抑制剂发挥异曲同工的作用。③噻嗪类：如双氢克尿塞、复方降压片，有升血糖、升血脂作用，可致低血钾，使用时要注意。④α阻滞剂：如哌唑嗪，使用中须注意避免体位性低血压。⑤β阻滞剂：心得安、氨酰心安、倍他乐克等，可抑制胰岛素分泌，但又抑制胰升糖素分泌，总的来看对血糖影响不大，心功能不全者使用中要小心。⑥血管扩张剂：如利血平、胍乙啶、长压定、可乐定、甲基多巴，有时可引起抑郁症。总之，虽然治疗糖尿病高血压的药物很多，但它们有各自的特点，有不同的适应证和禁忌证，使用时最好由医师来掌握。

调血脂药

糖尿病病人调脂，就是要使升高的对身体有害的血甘油三酯、胆固醇和低密度脂蛋白水平有所下降，同时使降低的对身体有利的高密度脂蛋白水平逐渐升高，以预防血管并发症的发生和发展。大家知道血糖和血脂密切相关，所以要想治疗糖尿病的脂质异常症首先必须控制好血糖，血糖降低后，血脂，尤其是甘油三酯水平会显著下降。另外，血脂的一部分来自饮食，所以糖尿病病人宜进高纤维低脂饮食，特别是要少吃富含饱和脂肪酸的动物油，以及富含胆固醇的动物内脏和鱼卵、蟹黄、虾子等海产动物食品。

运动疗法对血脂异常症和肥胖的控制也很有益。特别值得提出的是：吸烟是导致动脉粥样硬化的主要危险因素，糖尿病病人必须戒烟。如果采取了上面所说的措施后，血脂仍不正常，则必须同时服用调脂药物。调脂药种类很多，主要分以下几类：①降甘油三酯类药物：如亚细酸、γ亚油酸、深海鱼油、多烯康等。②降甘油三酯为主，降胆固醇为辅的药物：如烟酸、烟酸肌醇酯、贝特类调脂药，后者商品名的最后两个字多叫"贝特"，如非诺贝特，种类繁多，疗效较好。③降胆固醇为主，降甘油三酯为辅的药物：这类药名的最后两个字多为"他汀"，故又称他汀类调脂药，如普伐他汀、辛伐他汀等。④降胆固醇类药物：如消胆胺、降胆宁等。糖尿病病人要在医师的指导下，正确地使用这些药物，以达到满意的调脂结果。

降血黏度药

在使用降血黏度药物治疗之前，必须注意生活习惯的改善：包括饮食清淡，低脂、低糖饮食，多吃鱼肉、瓜菜、黑木耳、蒜、茶；适当锻炼，可增强心肺功能，降低血黏度；戒烟。降糖、降压、调脂治疗利于降低黏度。常用降黏度药有肠溶阿司匹林、复方丹参滴丸等等。

经常遇到这种情况，糖尿病病人找到医师说："大夫，给我开点儿最好的降糖药吧，我不在乎钱。"实际上，各种口服降糖药能在市面上存在，就说明它一定有某个方面的优势，也就是说，各种口服降糖药只有用得合适不合适，而没有绝对的好坏。对一个药的评价，不外乎是疗效如何？副作用大不大？服用是否方便？价格是否合理？从这些角度来看，每种药都有它的长处，也都有它的弱点。比如说，降糖作用强的，引起低血糖的危险就大；不容易引起低血糖的，降糖作用就较弱或者较短。另外双胍类药物能够抑制食欲，这是它的"正作用"；但是如果这种药物所引起的食欲下降过于明显，以致到了恶心、呕吐的地步，这也就成了它的副作用。所以，患者和医师共同寻求的应该是**药物选择的合理、正确**，而不应奢求一种对任何一位患者都合适的"好药"；也不能轻率地认为"便宜没好货"、"一分钱一分货"，以价取药。

目前我国糖尿病患病率正在急剧增长，患者人数众多，这种病虽然危害巨大，但又是一种可防可治之病。

对于糖尿病患者，我们要驾驭好糖尿病教育与心理治疗、饮食治疗、运动治疗、药物治疗和糖尿病监测"五套马车"，控制好患者的体重、血糖、血压、血脂、血黏，减轻胰岛素抵抗，而且治必达标，使他们正常生活、工作，并能享受和非糖尿病患者基本相同的寿命。

我们的目的一定要达到，我们的目的一定能够达到——糖尿病人生活比蜜甜。

主讲 **"健康快车"工作室**

　　北京市卫生局、《北京晚报》联合推出的"健康快车"栏目于1995年5月2日在《北京晚报》开设，历时8个年头，已开出1100节"车厢"，刊出文字逾百万。

课题 **完全健康十大行动**

♥ 行动一——吃一粒维生素

✚ 维生素保健

✚ 维生素防病

✚ 我吃多少维生素

　　世界风行"维生素保健"，并已成为 21 世纪的健康时尚。维生素是近百年才被陆续发现的一组营养素，是维持人体正常功能的一类有机化合物。其共同特点是：它们都不供应热量，也不是机体的构造成分，但却是维持身体的正常生长、发育、繁殖等所必需的有机化合物，起着调节身体各种功能的作用。维生素在人身体中不能合成，或合成量很少，所以必须从食物中摄取。身体对它们的需要量很少，但供应不足时会出现各种代谢障碍和症状，称为维生素缺乏病。

　　维生素大家族的成员在人体中，扮演辅酶的重要角色。大多数辅酶都是由某种维生素和蛋白质结合而成的。辅酶是一种辅助、增进酶活动的物质。食物被分解后进入细胞，一切代谢皆在细胞中依靠 500 种酶来促进。除有些酶可单独作用外，许多酶皆需要辅酶的帮助，这就离不开各种维生素的作用了。

　　脂溶性的维生素有：维生素 A、维生素 D、维生素 E、维生素 K 四种；水溶性的有：维生素 B_1、维生素 B_2、维生素 B_6，泛酸，生物素，烟酸，叶酸，维生素 B_{12} 以及维生素 C 等。

多种维生素与矿物质合剂制剂中含有主要的维生素和矿物质，可补充饮食中不足的营养素并维持营养素的平衡。多种维生素制剂（multivitamin）中一般要含有下列的物质：维生素 A、维生素 D、维生素 E、维生素 C，叶酸，维生素 B_1、维生素 B_2、维生素 B_6、维生素 B_{12}，烟酸。

维生素知识概要

国际著名营养保健专家艾尔·敏德尔博士多年致力于维生素的研究，就人们关注的问题，提供了部分维生素知识概要和服用指南。

问：**每天都吃蔬菜，维生素的摄入量就足够吗？**

答：还不够。蔬菜的确含有丰富的维生素，尤其含大量的维生素 B 族和维生素 C，可是蔬菜从田里采收到摆上餐桌，由于洗、切、煮等，维生素的含有量已部分流失，所以，食用蔬菜并不一定能摄取足够的维生素。另外，温室栽培的蔬菜由于未受阳光的充分照射，维生素的含量较少。所以在每日摄取充足蔬菜量的基础上还需补充维生素制剂。

问：**维生素制剂要在餐后服用吗？**

答：餐后消化器官运动正活跃，维生素制剂被吸收的情况会更好。尤其是脂溶性的维生素 A、维生素 D、维生素 E 等，容易被食物中含有的脂肪所吸收，故在餐后服用效果非常好。

问：**维生素可以天天吃吗？**

答：可以。对于水溶性维生素，如超过每天需要量，则会随尿液排出，根本不用担心储积。至于脂溶性维生素，稍微超过需要量并不会得"过多症"。因为需要量和引起"过多症"的摄取量之间有很大的差距。例如维生素 A，依据规定，成人每天的需要量是 2 000 单位，而除非长期每天摄取 10 万单位以上，才会引起维生素 A 过多症。

问：**维生素能预防生病吗？**

答：能。最近的研究成果表明，大量地摄取维生素还可以预防或治疗维生素缺乏症以外的病症。例如，曾获诺贝尔化学奖的赖南·保林博士提倡每日摄取 1 克维生素 C 可以预防感冒，经常摄取 β 胡萝卜素可以预防癌症，复合维生素制剂可以全面提供各种维生素，增加免疫力，提高抵抗力，巩固健康基础。

著名营养学家刘绣云等在《怎样增强青少年的体质》一书中详细介绍了我国膳食结构中供给不足的部分维生素及摄取办法。

关于维生素 A

维生素 A 和暗视力有关。人体维生素 A 营养状况好，这种适应时间就短，在暗处很快就可以看到物体，反之在暗处看清物体的时间相对就长。维生素 A 还有维持皮肤和黏膜等上皮细胞健康的功能。如果缺乏维生素 A，上皮细胞可发生退化，黏液分泌就会减少，皮肤变得干燥角化，纤毛脱落，毛囊周围出现棘状丘疹，称为毛囊角化；眼睛的泪腺上皮干燥，泪腺分泌减少；眼结合膜干燥可出现皱褶和毕脱氏斑；眼睛角膜干燥容易被细菌侵入而发生溃疡，最后穿孔而造成失明。据世界卫生组织报告，维生素A缺乏是发展中国家儿童后天致盲的重要因素。维生素A的第三个重要作用，是维持儿童正常的生长发育。当缺乏维生素A时，骨骼钙化不良，肝脏中的氨基酸合成蛋白质速度减慢，致使生长发育发生障碍。此外，维生素A与贫血、食欲、味觉、听力都有关系。

补充维生素A的方法是：有条件的话，喝牛奶最好，现在有些牛奶中加入维生素A和维生素D，对促进

富含维生素A和胡萝卜素的食物(每100克)

食物名称	维生素A (国际单位)	食物名称	胡萝卜素 (毫克)
蛋(黄)	3 500	油菜	1.59
鸡蛋(全)	1 400	菠菜	2.96
奶粉	1 400	韭菜	3.49
牛奶	140	香菜	3.77
黄油	2 700	芹菜叶	3.12
奶油	830	芹菜茎	0.11
猪肝	8 700	茴香菜	2.61
牛肝	18 300	辣椒	1.56
羊肝	2 900	苋菜	1.91
鸡肝	50 900	甜薯(红心)	5.11
鸭肝	8 900	胡萝卜(黄)	4.05
河螃蟹	5 960	胡萝卜(红)	2.11
松花蛋	940	南瓜	2.40
		鲜黄玉米	0.34

儿童少年生长发育、防止维生素 A 缺乏很有效。此外，还应多吃绿色的及红色的蔬菜，冬天多吃胡萝卜和红心白薯可增加胡萝卜素的摄入。若每半月吃一次各种动物肝脏，则可摄入很多的维生素 A 并储存起来。平时吃上一些绿色蔬菜，就可以预防维生素 A 的不足。

关于维生素 D

维生素 D 和骨骼、牙齿的生长有密切关系，它能促进钙、磷在肠道中的吸收和在骨骼中的沉积。儿童、少年若缺少维生素 D，则生长缓慢，骨骼和牙齿钙化不良。正在学走路的儿童，若缺少维生素 D，就会因骨骼不够坚硬，承受不住体重的压力，使两腿弯曲成弓形，俗称罗圈腿。

维生素 D 的来源有两条途径：一是来源于食物。植物性食物维生素 D 含量很少，几乎没有；动物性食物，如鸡蛋、黄油、牛奶、鱼肝油含有维生素 D，但含量也不多，受动物饲料的影响很大。一般靠食物摄入很难满足人体需要。二是来源于自身制造，人和许多动物的皮肤中都含有 7 - 脱氢胆固醇，经阳光紫外线照射后就可变成维生素 D_3。

关于维生素 B_1

维生素 B_1 是碳水化合物氧化过程中所需酶的辅酶，所以碳水化合物摄入越多，需要的维生素 B_1 就越多。在正常情况下，神经系统主要从葡萄糖中获取热量，严重缺乏维生素 B_1 可以引起脚气病。同时，神经组织的热量供应会受到影响，由于人体脑组织及周围神经几乎完全利用碳水化合物作能源，因而这时会发生多发性神经炎、肌肉酸痛和压痛，并有针刺感、蚁走感，患者常常出现头痛、健忘、精神不能集中、食欲减退等症状，称为干性脚气病。还有一种湿性脚气病，主要表现为心血管系统症状，患者多感觉衰弱、心悸，检查发现右心室扩大、下肢浮肿，严重者可全身浮肿。

对于已患维生素 B_1 缺乏的学生，应口服维生素 B_1 药片 5～10 毫克，一日三次，一般三天就可见好转。

常见食物中维生素 B_1 的含量
(毫克／100 克食物)

食物名称	维生素 B_1 含量	食物名称	维生素 B_1 含量
籼米	0.12	花生仁(生)	1.03
标准米	0.18	猪肝	0.40
精白面粉	0.06	猪肉	0.53
标准面粉	0.46	猪心	0.34
小米	0.59	牛肝	0.39
高粱米	0.14	鸡蛋黄	0.27
玉米(鲜、黄)	0.34	牛奶	0.04
黄豆	0.79	酵母干	32.80
豌豆	1.02		

关于维生素 C

维生素 C 可以促进胶原的形成。胶原是一种蛋白质，它能将细胞连接在一起，像水泥将砖石粘在一起一样。当维生素 C 缺乏时，胶原等间质的合成就会发生障碍，使伤口不易愈合，由于毛细血管壁的脆性增加，容易在齿龈、皮下、肌肉和关节出血。儿童在长牙期间充足的维生素 C 可以使牙齿更坚硬。维生素 C 可以增强人体的抵抗力。动物实验证明，维生素 C 能促进抗

富含维生素 C 的食物(毫克／100 克食物)

食物名称	维生素 C	食物名称	维生素 C
豌豆苗	53	苦瓜	84
青蒜	77	柚	41
太古菜	58	橙	49
油菜	51	柑橘	34
甘蓝菜	76	柠檬	40
雪里红(鲜)	83	枣	549
芥菜头	80	酸枣	830～1 170
盖菜	56	山楂	89
荠菜	55	大白菜	19
菜花	88	小白菜	60
金花菜	85	柿子椒	89
萝卜缨	68	水萝卜	34
辣椒	185	西红柿	12

体的形成，提高白血球的吞噬能力。临床上用大剂量维生素 C 防治感冒是有效的。维生素 C 有促进钙和铁吸收的作用，所以增加维生素 C 的摄入有预防缺铁性贫血的功效，也可以促进叶酸的利用，预防大细胞性贫血。维生素 C 参与组织细胞的氧化还原反应，与身体内多种物质的代谢有关，充足的维生素 C 有促进生长发育、增强体力、减轻疲劳的作用。

蔬菜中以辣椒含维生素 C 最多，各种绿叶菜都含丰富的维生素 C；水果中以枣、山楂含维生素 C 最多，各种柑橘类中维生素 C 含量也较多。在冬春季节蔬菜较少的时候，应多吃些黄豆芽、绿豆芽、青豆芽、红萝卜、白萝卜、胡萝卜、水萝卜等，以补充维生素 C。在农村山区有些野果含有丰富的维生素 C，如酸枣、猕猴桃、山里红、大枣等。

不同年龄、性别的人维生素服用指南

以下是国际上流行的补充维生素的观点，供大家参考。

女性

19 ~ 50 岁　浓缩多种维生素与矿物质合剂（最好是长效的）；含有生物类黄酮的维生素 C 1 000 毫克；维生素 E（水溶性）400 国际单位。以上均在早餐时服用，必要时早、晚餐各一次。处于紧张不安状态时每天服用复合维生素 B 两次，上下午各一次。

50 岁以上　维生素 E（水溶性）400 国际单位，早晚餐各一片。

男性

19～50 岁 维生素 E(水溶性)400 国际单位，早餐时服用。必要时，每天服用复合维生素 B 两次，上下午各一次。

50 岁以上 维生素 E(水溶性)400 国际单位，每天两次。

儿童

1～4 岁的幼儿 可以嚼碎且味道好的多种维生素片剂（不得添加人工色素、香料和砂糖），每天一片（查看一下标签，是否包含全部主要的维生素）；亦有幼儿专用的液体维生素。

4～12 岁儿童 发育中的儿童需要含有矿物质，特别是含钙和铁的浓缩多种维生素制剂，以维持正常的发育。其中还要有大量的维生素 B 族和维生素 C。每天一片已足够了。

孕妇

浓缩的多种维生素与矿物质合剂，要含有丰富的维生素 A、维生素 B_6、维生素 B_{12}、维生素 C、叶酸，每天两次。

哺乳期妇女

哺乳期妇女所需的维生素和孕妇一样，特别应注意摄取维生素 A、维生素 B_6、维生素 B_{12} 和维生素 C。

高龄者

65 岁以上的人需要比低龄者更多的维生素 B 族、维生素 C、钙、镁、铁等营养物质；多种维生素与矿物质制剂；玫瑰果实中提取的维生素 C 制剂 500 毫克(含有生物类黄酮)；维生素 E(水溶性制剂)200～400 国际单位。以上均为早、晚餐时服用。

注：部分内容摘自内蒙古人民出版社《维生素圣典》。

♥ 行动二——学一项心理自测

✚ 紧张人需要"心理按摩"
✚ 年轻的心平和的心一测便知

你是否心平气和

1. 你时常怀疑别人对你的言行是否真的感兴趣。 （ ）
   a. 是的　　　b. 介于 a、c 之间　c. 不是的
2. 你神经脆弱，稍有一点刺激你就会战栗起来。 （ ）
   a. 时常如此　b. 有时如此　　　c. 从不如此
3. 早晨起来，你常常感到疲乏不堪。 （ ）
   a. 是的　　　b. 介于 a、c 之间　c. 不是的
4. 在最近的一两件事情上，你觉得自己是无辜受罪的。

　（ ）
   a. 是的　　　b. 介于 a、c 之间　c. 不是的
5. 你善于控制自己的面部表情。 （ ）
   a. 是的　　　b. 介于 a、c 之间　c. 不是的
6. 在某些心境下，你会因为困惑陷入空想，将工作搁置
   下来。 （ ）
   a. 是的　　　b. 介于 a、c 之间　c. 不是的
7. 你很少用难堪的语言去刺伤别人的感情。 （ ）

a. 是的　　　b. 不太确定　　　c. 不是的

8. 在就寝时，你常常——　　　　　　　　　　　　　（　）

　　a. 不易入睡　　b. 介于 a、c 之间　　　c. 极易入睡

9. 有人侵扰你时，你——　　　　　　　　　　　　　（　）

　　a. 能不露声色

　　b. 介于 a、c 之间

　　c. 总要说给别人听，以泄己愤

10. 在和人争辩或险遭事故后，你常常感到震颤，精疲
　　力竭，而不能继续安心工作。　　　　　　　　　（　）

　　a. 是的　　　　　b. 介于 a、c 之间　　c. 不是的

11. 你常常被一些无所谓的小事所困扰。　　　　　　（　）

　　a. 是的　　　　　b. 介于 a、c 之间　　　c. 不是的

12. 你宁愿住在嘈杂的闹市区，也不愿住在僻静的郊
　　区。　　　　　　　　　　　　　　　　　　　　（　）

　　a. 是的　　　　　b. 不太确定　　　　　c. 不是的

13. 未经医生许可，你是从不乱吃药的。　　　　　　（　）

　　a. 是的　　　　　b. 介于 a、c 之间　　　c. 不是的

计分方法

　　将你的选择与计分表对照，得出每道题的分数，继
而求和。

题号		1	2	3	4	5	6	7	8	9	10	11	12	13
得分	a	2	2	2	2	0	2	0	2	2	0	2	2	0
	b	1	1	1	1	1	1	1	1	1	1	1	1	1
	c	0	0	0	0	2	0	2	0	0	2	0	0	2

答题说明

　　A. **紧张困扰**(总分 16~26 分)

你时常被紧张情绪困扰，缺乏耐心，心神不定，过度兴奋。时常感觉疲乏，又无法摆脱。在集体中，对人和事缺乏信心。每日生活战战兢兢，不能控制住自己。你可以认真分析一下导致心理紧张的原因，如果是外来的，要设法克服，如果是内在的，就应学会"忙里偷闲"，培养多方面的兴趣，使自己绷紧的弦放松下来。

B. 心理适中（总分 9 ~ 15 分）

你紧张度适中，利于完成自己的学习或工作任务，生活得充实；偶有高度紧张之感，可积极加以控制和调节。

C. 心平气和（总分 0 ~ 8 分）

你心平气和，通常知足常乐，能保持内心平稳。但有时过分疏懒，缺乏进取心。你要提高自己的进取心，不能过分安于现状。

常见的放松法

1. **意念放松法**：静下心来，排除杂念，闭上眼睛，把注意力集中在丹田，想像在丹田有一股气。此时用腹式呼吸法慢慢呼吸。吸气时，想像丹田中的这股气由腹部逐渐上升到胸部，再上升到头部，直到头顶"百会"处；吐气时，想像这股气由"百会"自后向下顺着脖子、脊梁下降，直至回到丹田。这样一吸一呼，周而复始，反复进行，使练习者逐渐达到排除一切杂念、心静神宁的境地，收到消除紧张、自我放松的效果。

2. **肌肉放松法**：放松时松开个人所有的紧身衣物，轻轻地坐在一张单人沙发上，双臂和手平放于沙发扶手上，双腿自然前伸，头与上身轻轻后靠。整个放松训练按照由下至上的原则，从脚趾肌肉放松→小腿肌肉放松→大腿肌肉放松→臀部肌肉放松→腹部肌肉放松→胸部肌肉放松→背部肌肉放松→肩部肌肉放松→臂部肌肉放松→颈部肌肉放松→头部肌肉放松。放松动作要领是先使该部位肌肉紧张，保持紧张状态10秒钟，然后慢慢放松，并注意体验放松时的感觉（如发热、沉重等）。每次放松训练 20～30 分钟，可安排在晚上睡觉之前进行。

你的心理年龄是多少

心理年龄自测表

题号	测验题	是	中间	否
1	下决心做某事后便立刻去做	0	1	2
2	往往凭经验办事	2	1	0
3	对任何事情都有探索精神	0	2	4
4	说话慢而且啰嗦	4	2	0
5	健忘	4	2	0
6	怕烦心、怕做事、不想活动	4	2	0
7	喜欢计较小事	2	1	0
8	喜欢参加各种活动	0	1	2
9	日益固执起来	4	2	0
10	对什么事情都有好奇心	0	1	2
11	有强烈的生活追求	0	2	4
12	难以控制感情	0	1	2
13	容易嫉妒别人，易悲伤	2	1	0
14	见到不合理的事不那么气愤了	2	1	0
15	不喜欢看推理小说	2	1	0

题号	测验题	是	中间	否
16	对电影和爱情小说失去兴趣	2	1	0
17	做事情缺乏持久性	4	2	0
18	不愿意改变旧习惯	2	1	0
19	喜欢回忆过去	4	2	0
20	学习新鲜事物感到困难	2	1	0
21	十分注意自己身体的变化	2	1	0
22	生活兴趣的范围变小了	2	1	0
23	看书的速度加快	0	1	2
24	动作不够灵活	2	1	0
25	清除疲劳感很慢	2	1	0
26	晚上不如早晨和上午头脑清醒	2	1	0
27	对生活中的挫折感到烦恼	2	1	0
28	缺乏自信心	2	1	0
29	精力难以集中	2	1	0
30	工作效率低	2	1	0

心理年龄自测表说明

请把各题自己的得分相加，算出总积分，再根据下表查出自己所属的心理年龄范围。

75 分以上，60 岁以上；65～75 分，50～59 岁；50～65 分，40～49 岁；30～50 分，30～39 岁；0～30 分，20～29 岁。

年轻处方

1. 唱一首雄壮的歌，念一首激昂的诗，看一篇震撼人心的文章。

2. 登山远望，临海观潮，壮阔胸怀，激励斗志。

3. 生活丰富多彩化。

4. 加快做事节奏。

5. 完成一些有趣的智力活动，刺激大脑，这时大脑会释放出一种快乐物质(内啡肽)。

6. 从事喜欢的体育锻炼。

7. 用音乐调节，如《喜洋洋》、《春江花月夜》、《平沙落雁》、《苗岭春早》等。

♥ 行动三——做一种有氧代谢运动

✚ 运动前先体检
✚ 保证运动的质和量
✚ 测测我的心

有氧代谢运动是指那些以增强人体吸入、输送以及以使用氧气能力为目的的耐久性运动。在整个运动过程中，人体吸入的氧气大体与需求相等，即达到了平衡。因此它的特点是**强度低、有节奏、不中断、持续时间较长**。这些活动能有效地改善心、肺与心血管的机能。步行、游泳、骑车、跳舞均是很好的有氧代谢运动。

运动之前先体检

有氧代谢运动必须达到一定强度和时间，你能承受吗?实施计划前做一次全面体检，这对 40 岁以上的人尤为重要。不要漏查运动心电图，如果查出有心脏缺血，你就要在医生指导下运动。没有体检就参加有氧代谢运动，一定要从小运动量开始，循序渐进，运动中一旦出现身体不适，要及时找医生查明原因。

有氧代谢四部曲

准备活动：慢跑 2~4 分钟，再做一套全身柔韧性练习，用 5~10 分钟活动各个关节与肌群，增强弹性，提高心率，做好大强度运动准备。

开始锻炼：任选一种有氧代谢运动方式，让心脏在"有效心率范围"内持续跳 20 分钟，每周 4 次，每次 20 分钟，收效很明显；每周 5 次，每次 20~30 分钟，进步最快。

放松整理：剧烈运动 20~30 分钟后突然停止，不论坐下还是躺下都可能引发脑缺血，甚至失去知觉。应先放慢速度 3~5 分钟，同时做上肢活动，让心率慢慢降下来。

补充运动：徒手俯卧撑、引体向上、仰卧起坐、俯卧挺身，能锻炼运动中活动不充分的上肢与腰腹。

有氧代谢运动的"度"和"量"

"度"是指运动时的心率控制在有效心率范围，即极限心跳次数的 60%~80% 之内（极限心跳次数＝220－年龄）。

也可参照以下简便数据：

20 岁：120~140 次/分钟；

30 岁：115~130 次/分钟；

40 岁：110~125 次/分钟。

一般慢性病患者可按一个公式计算，即：**运动时最高心率(次/分)＝170－年龄。**

　　"量"是指每周应进行 3 次运动，每次持续 30 分钟；或每周进行 4 次运动，每次 20 分钟，即可收到明显效果；如果每周进行 5 次运动，每次 20~30 分钟，则进步最快。但在此基础上再增加运动量，收效并不明显。

怎样测运动心率

　　跑步或快走时无法测心率脉搏。切实可行的方法是运动结束立即把脉，数 15 秒钟的脉搏乘以 4，就是 1 分钟心率。但从停止运动到计数脉搏，无论如何熟练，至少需要十几秒钟。这时数出的心率已小于运动时的数值。所以应再加测量时心率的 10%。例如测量时心率是 160 次/分，加上 10%，那么运动时的准确心率是 176 次/分。

走步健身不同年龄段适应的方法

年龄	30 岁以下			30~39 岁			40~49 岁			50 岁以上		
周次	距离（米）	时间	每周次数	距离（米）	时间	每周次数	距离（米）	时间	每周次数	距离（米）	时间	每周次数
1	1 600	15′	5	1 600	17′30″	5	1 600	18′	5	1 600	18′30″	5
2	1 600	14′	5	1 600	15′30″	5	1 600	16′	5	1 600	16′30″	5
3	1 600	13′30″	5	1 600	14′15″	5	1 600	14′45″	5	1 600	15′	5
4	2 400	21′30″	5	2 400	22′	5	2 400	22′30″	5	2 400	24′30″	5
5	2 400	21′	5	2 400	21′15″	5	2 400	21′30″	5	2 400	23′	5
6	2 400	20′30″	5	2 400	20′45″	5	2 400	21′	5	2 400	22′30″	5

跑步健身不同年龄段适应的方法

年龄 周次	30 岁以下			30 ~ 39 岁			40 ~ 49 岁			50 岁以上		
	距　离 （米）	时间	每周次数	距　离 （米）	时间	每周次数	距　离 （米）	时间	每周次数	距　离 （米）	时间	每周次数
1	1 600	13′30″	5	1 600	17′30″	5	1 600	18′	5	1 600	18′30″	5
2	1 600	13′	5	1 600	15′30″	5	1 600	16′	5	1 600	17′	5
3	1 600	12′30″	5	1 600	14′15″	5	1 600	15′	5	1 600	16′	5
4	1 600	11′45″	5	1 600	13′15″	5	1 600	14′	5	1 600	15	5
5	1 600	11′	5	1 600	12′30″	5	1 600	13′30″	5	1 600	14′15″	5
6	1 600	10′30″	5	1 600	11′45″	5	1 600	12′45″	5	1 600	13′45″	5

　　走步健身不同于散步，要有一定的速度。应根据本人身体的情况，选择上表合适的走步速度和距离。经过6 周的适应后，可以逐步慢慢增加运动量。增加运动量可以先增加走步的距离，再增加走步的速度。

　　适宜的运动量应以最大心率的 60% ~ 85% 为宜，开始最好是 60% 左右，以后再慢慢增加强度，每天走步的时间最好不低于 30 分钟。

　　从未进行过慢跑锻炼或体质弱的成年人，开始先进行走跑交替，先走 30 ~ 60 秒或 50 ~ 100 米，然后慢跑 30 ~ 60 秒或 50 ~ 100 米，跑的速度自己掌握，不要太快。根据身体情况可进行 6 ~ 12 次（走跑交替 1 次为 1 次）。运动后即刻心率为最大心率的 60% 左右，可每天锻炼 1 次或每周 5 次。锻炼要有一个适应的过程，开始锻炼可能会有些疲劳的感觉，经过 2~4 周就会逐渐消失。这个运动负荷适应后，再增加运动负荷，可增加运动数量的 10% 左右或缩短走的距离，直至不用走跑交替可以持续进行慢跑为止，此过程大约 1~3 个月。每个人可根据自己的身体情况进行适当的调整。

通过跑走交替能够持续慢跑后，可以根据自己的身体情况选择慢跑 1 600 米适合的速度(时间)，然后按表上的进度逐渐缩短跑的时间，直到适应第 6 周跑的速度。身体好的人可用上表的时间，若不能按上表进行或是女性，可适当缩短跑的距离或延长跑的时间。使用上表的同时要用跑后最大心率的 60%~85% 进行监测，不要超出这个范围，最好是在 60% 左右。该表适应后再慢慢增加跑的距离，该距离适应后再提高慢跑的速度；然后再慢慢增加跑的距离，该距离适应后再提高慢跑的速度。这样循环可以提高跑的能力，每次距离可增加 10% 左右，速度可增加 5% 左右，最长慢跑 3 000~4 000 米左右也就可以了。每次循环时间大约持续 6~8 周左右，有的人也可适当延长时间。

注：以上有氧代谢运动处方由北京市体育科学研究所肖学麟教授提供。

♥ 行动四——测一次身体素质

➕ 给自己的体质打分
➕ 你的体质年龄年轻吗
➕ 体质自测项目

　　通过体质测定，可以更确切地了解自己的身体现状和体内薄弱环节，可以采用针对性的素质训练以加深对薄弱处的刺激作用，使其产生对应性的变化。例如力量素质差的，可以通过举重、杠铃、哑铃等锻炼项目而增强力量，耐力则可以通过中长跑来提高。

给自己的体质打分

　　按以下方法给自己的体质打分，看一看自己的体质究竟怎样？

　　1. 闭眼单脚站立：1分钟以上得10分；40秒以上得8分；30秒以上得5分；15秒钟以上得3分；5秒以上得1分。

　　2. 爬楼(选爬18层以上的楼房，以1秒一阶的速度向上攀)：没有任何累的感觉得10分；略微腿酸，呼吸变化不大得8分；明显心跳加快，呼吸变化得5分；途中有明显走不动的感觉得3分；途中有明显的间断休息得1分。

　　3. 每周锻炼的次数：有两次1小时的活动得10分；有一次1小时的活动得8分；累计1小时的活动得5

分；有不到 1 小时的活动得 3 分；只有简单动一动的得 1 分。

4. 近期的精力（自我感觉）："不错"得 10 分；"还可以"得 8 分；"一般"得 5 分；"不太好"得 3 分；"不行"得 1 分。

5. 慢跑：持续半小时得 10 分；20 至 25 分钟得 8 分；15 至 20 分钟得 5 分；10 至 15 分钟得 3 分；10 分钟以下得 1 分。

如果能得到 45 分以上，你的体质很不错；得40分到 44 分，你的体质较好；如果得 35 分到39分，你的体质一般；低于34 分之下，你的体质属于较差；如果你的得分不足 20 分的话，你的体质问题就太大了。

身体素质自测项目(部分)

年龄	18～40 岁	41～60 岁	61～70 岁
测定项目	身高	身高	身高
	标准体重	标准体重	体重
	肺活量	肺活量	呼吸差
	台阶试验	台阶试验	心率
	握力	握力	血压
	坐位体前屈	坐位体前屈	坐位体前屈
	纵跳	闭目单足直立	双臂屈伸
	40 米往返跑	反应时间	闭目单足直立时间
	俯卧撑(男)	抓棍	马步半蹲
	1 分钟仰卧起坐(女)	摸背	

部分测试项目说明

坐位体前屈：坐在平地上(有垫物)，两腿伸直顶到墙，渐渐使上体前屈，直到不能继续前伸时为止(不得有突然前振动作），用尺测量中指尖与墙壁的距离。

摸背：左手经左肩上部，右手经右腰下向背后触摸，测量两手中指在背后的距离，右上左下、左上右下各做一次（单位：厘米）。

抓棍：测试者握 1 米长的直棒（棒上有刻度），棒上刻度的 100 厘米处与受试者肩的上缘齐平，受试者在对面一臂远处自然直立，两臂下垂，测试者松手，当棒下落时，受试者快速抓握，记下受试者手上缘握棒处的厘米数。不得弯腰屈膝。

闭目单脚直立：两脚并拢直立，脚尖向前，两臂自然下垂，然后举单腿，大腿抬平与上体成 90°，小腿自然下垂（大、小腿也成 90°）。站好后，闭目即开始计时，上体向一侧倾倒立即停表（单位：秒）。

倾倒标准：①有较大的倾倒；②举起的脚落地或支撑脚移位。

走地面独木桥：在地面上画一"独木桥"，长 5 米，宽 15 厘米，受试者前脚脚跟紧靠后脚的脚尖向前走完全程。

①计时：受试者站在起点线外听口令计时出发，到达终点线停表。

②记错误：踩出 15 厘米宽度之外和足跟尖未靠拢的次数。

双臂屈伸：距墙一臂远直立，两手指尖向上扶墙，做双臂屈伸，肩与肘平齐为一次，测 30 秒的次数。

马步半蹲：双足开立与肩同宽，足尖向前，双腿屈膝半蹲，大腿与小腿成 135°角，腰背挺直，眼向前平视，两臂自然下垂或平举，计坚持时间(单位：秒)。

台阶试验: 台阶高度为男 30 厘米，女 25 厘米，测试之前一定要把台阶放稳、放平。请别人掌握时间、测量脉搏。以 2 秒钟上下一次台阶的速度连续做 3 分钟。试验后测量并记录 1～1.5 分钟、2～2.5 分钟、3～3.5 分钟 3 次脉搏数，用以下公式求出台阶指数：180÷〔2×(3 次脉搏数之和)〕×100。

台阶指数的正常数值为 56～61，高于此数值心功能较强，反之则较差。从台阶指数可看出坚持健身的人与一般人心功能的明显差异。如果你的数值低于 56 时，这就提醒你要马上参加运动了!

部分体质测试项目标准

肌肉力量测试方法主要有握力、俯卧撑(男性)和 1 分钟仰卧起坐(女性)。

俯卧撑: 次数越多越好，以下是各年龄段的参考值：20 岁 20～29 次，30 岁 16～22 次，40 岁 12～19 次。1 分钟仰卧起坐的参考次数：20 岁 17～28 次，30 岁 12～19 次，40 岁 8～14 次。

闭眼单脚站立: 男 40 岁以上者，11～30 秒为正常，女 40 岁以上者 17 秒以上为正常，站立时间越长平衡力越好。

12 分钟跑步测验: 40～49 岁的男性 12 分钟跑步距离小于 1 825 米，体能评为很差；1 825～1 985 米为差；1 985～2 225 米为及格；2 225～2 450 米为好；2 450～2 640 米为很好；大于 2 640 米为极好。

2 400 米跑步测验：40～49 岁的男性，跑完 2 400 米所需的时间超过 17 分 31 秒为很差；15 分 36 秒～17 分 30 秒为差；13 分 01 秒～15 分 35 秒为及格；11 分 31 秒～13 分为好，10 分 30 秒～11 分 30 秒为很好；小于 10 分 30 秒为极好。

4 800 米步行测验：40～49 岁男性步行完成 4 800 米所需时间超过 52 分为很差；47 分 01 秒～52 分为差；42 分 01 秒～47 分为及格；36 分 30 秒～42 分为好；小于 36 分 30 秒为极好。

12 分钟游泳测验：40～49 岁男性在 12 分钟游泳距离小于 275 米为很差；276～365 米为差；366～460 米为及格；461～550 米为好；大于 550 米为很好。游泳姿势不限。

测试你的体质与年轻度

内容	动作、测试要求及评估
平衡	闭双眼，抬一只脚高于地面 20 厘米，单足站立。30 秒钟为及格，时间越长表明小脑功能越好
敏捷	画边长 30 厘米的正方形，两足并拢，前后左右跳跃。2 分钟内跳的次数，150 次为中等，200 次以上为优秀
柔韧	屈体直腿向前弯腰，触地，手部触着地。手指触地为及格，手腕触地为优秀
耐力	深吸一口气，然后屏气。屏住气的时间，30 秒钟为及格，时间越长肺活量越好
腹肌量	仰卧，靠腹部收缩坐起，仰卧起坐手不抱头。坐起为及格，双手抱头后坐起为优秀
爆发力	下蹲后运用下腰弹跳向上跃起，然后下蹲，此过程为一次。20 秒钟内做的次数：15 次为及格，25 次为优秀

4 项指标均不及格者，说明体质年龄比实际年龄衰老 10 岁。

4 项指标均在中等以上者，说明体质年龄比实际年龄年轻 10 岁。

6 项指标均优秀者，说明体质年龄比实际年龄年轻 20 岁以上。

♥ 行动五——做一套体检

基因科学的研究证明，每个人的寿命都能达到 120 岁，但我们靠什么才能长寿呢？答案就是良好的环境、健康的饮食和生活方式，同时专家提醒要定期体检。不同于看病时在医院做的体检，我们所说的体检称为健检(健康体检)，专门针对正常的健康人群或自觉健康的人群。

健康体检的项目

既然是健康体检，内科、外科、眼科、五官科、B 超、胸透及简单的实验室检查(包括血常规、尿常规、便常规、肝功能的谷丙转氨酶、血糖、血脂、乙肝病毒表面抗原等)都是必查项目。牙病、结膜炎等病在中国人身上发病率很高，所以从娃娃起就该每年查口腔、查眼睛、查身高体重等发育指标。

各年龄人群的检查重点

30 岁左右的青年人：工作紧张，流动范围大，得传染性疾病的机会多，肝炎、肺部感染、泌尿系感染、上消化道疾病等高发。这个年龄段在健检时一定要有肝功、乙型肝炎病毒免疫学检查、胸部 X 光检查等项目。从 30 岁起就应该时刻重视自己的体重变化、血压高低，因为慢性病在青年时就开始萌芽了。

40 至 50 岁的中年人：重点是早期发现不健康的生活方式或遗传因素引起的慢性病。像脂肪肝、高血压、心脏病、糖尿病，还有白领中常见的颈椎病，在中年就开始出现，所以健检除常规项目外，应着重在血脂、血糖、心电图、腹部 B 超、颈椎检查这些方面。中年男性要开始定期做前列腺检查；女性要开始做卵巢、子宫和乳腺的检查。

50 至 60 岁以上的老年人：老年人都或多或少有一些慢性病，除定期检查监控慢性病外，还要高度重视肿瘤的发病，定期检测肿瘤标志物（包括 AFP、CEA、CA19—9、CA153、CA125 等）。老年人的健康追求就是控制衰老、延长寿命，应该做好定期检查、慢性病监控。

健康体检项目分类及流程一般说明

类别和流程	项目	内容
签到、缴费	领取体检表 填写相关内容 领取血、尿、便 标本收集管	

完全健康十大行动

A类检查： （标准检查，30岁左右）	餐前检查区	一般情况	血压、身高、体重
		抽血	用于实验室检查
		X线检查	胸部透视
		隐血珠	上消化道肿瘤筛查
		B超	肝、胆、脾、胰、肾
	餐后检查区	内科	心、肺、肝、脾、神经系统等
		外科	皮肤、脊柱、四肢、甲状腺、乳房、肛门、外生殖器等
		眼科	视力、外眼、眼底等
		五官科	耳、鼻、口腔、咽喉
		妇科	妇检、白带常规、宫颈涂片
		心电图	
	实验室检查	常规检查	尿常规
			便常规
			血常规
		生化检查	肝功能：谷丙转氨酶（ALT）
			肾功能：尿素氮(BUN)、肌酐(CRE)
			血糖：葡萄糖（GLU）
			血脂：总胆固醇、甘油三酯
		免疫检查	乙肝表面抗原：HBsAg
B类检查： （A类＋全面检查，40岁左右）		X线检查	胸部正、侧位片
		B超	前列腺、子宫、卵巢
		实验室检查	肝功能：谷草转氨酶(AST)、总蛋白(TP)、白蛋白(ALB)
			血脂：高密度脂蛋白(HDL－C)、低密度脂蛋白(LDL－C)
			两对半检测：HBsAg、HBsAb、HBeAg、HBeAb、HBcAb
			肿瘤检测：甲胎蛋白(AFP)、癌胚抗原(CEA)

	X线检查	腰椎正侧位片
C类检查： (B类 + 特殊 检查，50 岁 左右)	实验室检查	肝功能：总胆红素(TBS)、乳酸脱氢酰(LDH)、谷氨酰转肽酶(GGT)、碱性磷酸酶(AKP／ALP) 肾功能：尿酸(UA) 肿瘤检测 男：甲胎蛋白(AFP)、结肠(CEA)、胰(CA199)、肺(Cyfra21‐1)、前列腺(PSA) 女：甲胎(AFP)、结肠(CEA)、乳腺(CA153)、卵巢(CA125)、肺(Cyfra21‐1)
检测汇总分析	分析各科检测结果	
首席终检	核定签发体检结果	

注：不同医院或体检中心的体检项目会有所差异。

♥ 行动六——喝一杯牛奶

✚一杯牛奶强壮一个民族
✚一杯奶至少有 11 个好处
✚10 种人多喝酸奶

牛奶在许多国家被视为"白色的血液"，而我们许多国人却当它为"白色的雾水"，怀疑那不是牙口不行的老人和孩子的专用食品吗？那不是西方人的饮品吗？喝多了会不会"三高"(高血压、高脂血、高血糖)呢?喝饮料也有营养为什么非喝牛奶呢?

已经迈进21世纪,我们必须接受"白色的革命",认识牛奶这个全价的营养食品,树立新的营养观。

日本人率先喊出"一杯牛奶强壮一个民族",在二战后的贫困条件下强行推广加入牛奶的学生营养餐,使这个国家"矮小人种"的时代一去不复返。现日本农村青少年身高均高于我国农村的同龄青少年。泰国为了摆脱矮小人种的困扰,从国王到王室成员,全部致力于劝儿童每天喝牛奶的宣传,20年的努力成绩瞩目——18岁男青年身高增长4厘米,女青年身高增长3厘米。我国营养学家谈及中国足球运动水平时说,请在中国人均喝奶量达10公斤以上时,再看看我们的足球运动水平!

牛奶是最接近人体天然需要的食品,是人类最好的食品。这是著名营养学家于若木参加国际牛奶日咨询时告诉母亲们的一句话。据测定,每500毫升牛奶含有蛋白质16.5克,脂肪17.5克,糖22.5克,钙600毫克,维生素A 200国际单位,维生素D 10国际单位,能满足人体每天需要动物蛋白的50%、热能的30%、钙的50%。在天然的单一食品中,比牛奶营养更全面的食品实在不多了。如果这些数字让你觉得难以记住,请记住一架天平。天平这边放227克鲜牛奶,天平那边等量相当的是:蛋白质,相当于55克鸡蛋;脂肪,相当于385克带鱼;热量,相当于120克猪肝;钙,相当于500克菠菜;磷,相当于300克鸡肉;维生素A,相当于125克活虾;维生素B_2,相当于225克羊肉。

喝牛奶到底有什么好处呢?德国联邦牛奶研究所所长黑申教授曾指出，人们每天喝一杯牛奶至少有11个好处：

①牛奶中含有钾，可使动脉血管壁在血压高时保持稳定，使中风危险减少，还可防治高血压和心脏病；②可以阻止人体吸收食物中有毒的金属铅和镉；③酸奶和脱脂乳可增强免疫系统功能，阻止肿瘤细胞增长；④牛奶中的酪氨酸能促进快乐激素——血清素大量增加；⑤牛奶中的碘、锌和卵磷脂能大大提高大脑的工作效率；⑥牛奶中的铁、铜和维生素A有美容作用，使皮肤保持光滑和丰满；⑦牛奶中的钙能增强骨骼和牙齿，防止骨骼萎缩和骨折；⑧牛奶中的镁能使心脏和神经系统耐疲劳；⑨牛奶中的锌能促进伤口更快地愈合；⑩牛奶中的维生素可提高视力；⑪牛奶中含有左旋色氨酸等物质，睡前喝一杯有催眠之妙用。

喝牛奶对高血压病人尤其有好处。中国人民解放军总医院临床医学基础研究所微量元素研究室主任赵霖研究员肯定地说,血管有舒张和收缩反应,如果血管的收缩反应增加，血管径就会变小，管壁绷得很紧，像一根硬塑料管，不能伸缩，无法缓冲血管内的压力，就会发生高血压。医学家通过长期观察，发现血液中的钠代谢和钙代谢必须保持一定的比例和相对动态平衡，不然就会出现病症。高血压患者血液中的钠含量一般较高，这时补充钙就具有"除钠作用"，可使血压稳定。美国俄勒冈卫生大学高血压防治规划主任麦克卡隆博士认为，解决高血压的关键不是钠、镁或其他矿物质，而是钙。他曾就补钙对高血压的直接影响进行对照试验，高血压患者如果每天补充 1 000 毫克钙，连用 8 周就可明显使血压下降。在一部分患者中，即使不给其他降压药，亦可使血压恢复正常。因为牛奶中含钙较高。倘若人们把每天摄食 450～500 毫克的钙增加到 1 500 毫克，可使45%～50%的高血压病人收到显著的降压效果。

钙是中国居民膳食中最明显缺乏的营养素，而补钙用品中最有效的、最平衡的、最便宜的、最便捷的就是牛奶。

人们应当怎样喝牛奶呢?北京师范大学著名营养学教授高颖君告诉大家，中小学生、成人每日喝两杯奶(约 500 克)为宜，如消化好多喝一些也可以，这样可以基本满足人一天对钙的需要。喝奶的同时吃些面包、馒头等碳水化合物，有利于对奶的利用与吸收。早晚喝奶均可。她强调，小儿不宜喝酸奶。

在晚间喝奶十分有利睡眠。因牛奶中有两种催眠物质——能促进睡眠血清素合成的 L－色氨酸，其作用明显，甚至一杯奶能使人入睡;另一种是具有麻醉作用的天然吗啡类物质。但早餐不宜多喝牛奶，早上食用牛奶过多会使大脑皮层受到抑制，影响白天的工作与学习。

有人问："为什么我一喝牛奶就拉肚子?"这是因为许多人饮用方法不当。如喝牛奶应小口饮用，让奶与唾液充分混合，有利吸收。大口喝牛奶，其直接接触胃中酸性物质，造成牛奶中的蛋白质和脂肪结块，形成不易消化的物质。胃肠功能弱的人会因此腹泻，或因异常发酵而导致腹胀、消化不良。

著名营养学家于若木对酸奶作了甚为详细权威的介绍，特别强调如下：一杯酸奶相当于一餐。一般来说酸奶比原料奶的成分都有所提高，与我国 RDA 比较，一杯酸奶能量和钙质均在 30% RDA 左右。如果说"一日三餐"，一杯酸奶真可以提供一餐的主要营养了。

酸奶中能量和大多数营养素都比牛奶中有很大提高，特别是如果在生产过程中加入奶粉的话，含量提高的营养素有能量、蛋白质、矿物质，如钙、叶酸，并增加一些新的有效成分，如半乳糖、乳酸、乳酸菌等，只有乳糖含量是下降的。

酸奶有如下的优点：①酸奶营养素密度高。②酸奶更易消化。③酸奶是理想的断乳食品。④酸奶促进脑发育。⑤酸奶防治腹泻。⑥酸奶对老人有益。

有些人喝完奶以后肠胃不适或腹泻，这称为乳糖不耐受或者称乳糖消化不良，是因为体内缺少乳糖分解酶，而没有消化乳糖的能力。当患者喝奶或其他奶制品时，奶中的乳糖不能被分解利用，就会在小肠累积许多水，当乳糖到达大肠之后，就会发酵，刺激肠黏膜，进而肚胀、肠鸣、痉挛、肚子痛、腹泻等。假如是一个婴儿，在这种情况下继续喝奶，将可能致死。

如果喝牛奶时肠胃不适，那么停止喝牛奶或从食物中去除乳糖是很必要的。酸奶是乳糖不耐受者的良好选择，酸奶含有乳糖酶，常喝酸奶，能提高乳糖消化和耐受性。医学专家特别建议 10 种人多喝酸奶。他们是经常性饮酒、吸烟、从事电脑操作、患粉尘职业病、化疗、早衰、服抗生素、患萎缩性胃炎、患骨质疏松、患心血管疾病的人。

目前，世界人均占有牛奶 100 千克以上。我们也应该把牛奶放进每天的食谱中，像粮食、蔬菜一样。喝牛奶的良好习惯将带给我们健康的今天、强壮的明天!

♥ 行动七——测一个体质指数

➕ 我是否属于肥胖
➕ 三种办法一测便知

你的体重是否正常?你想知道自己是否已进入肥胖者大军吗?那么，请按国际最新标准测量一下自己的体质指数(BMI)。

体质指数是结合体重和身高来衡量人体脂肪相对水平的指标。体质指数 BMI = 体重(千克)／身高(米)^2。根据最新的亚太地区肥胖指南的标准，中国人和其他亚洲人群：BMI < 18.5，体重不足；BMI 18.5 ~ 22.9，理想体重；BMI 23 ~ 24.9，超重；BMI 25 ~ 29.9，肥胖；BMI > 30，严重肥胖。从现有资料来看，中国人的体质指数(BMI)最佳水平应控制在 20 ~ 22 为宜。

注：体质指数 BMI 不适合以下人群：生长期儿童、

不能准确测量身高的老年人和肌肉发达者及孕妇。

还可以使用腰围测量法：男性腰围大于等于 90 厘米（即 2 尺 7 寸）为肥胖，女性腰围大于等于 80 厘米为肥胖。

腰围（WC）是反映脂肪总量和脂肪分布的综合指标，世界卫生组织推荐的测量方法是：被测者站立，双脚分开 25 至 30 厘米，体重均匀分配。测量位置在水平位髂前上嵴和第 12 肋下缘连线的中点。将测量尺紧贴软组织，但不能压迫，测量值精确到 0.1 厘米。根据腰围检测肥胖症，很少发生错误。

测量办法：将带尺经脐上 0.5 至 1 厘米处水平绕一周，肥胖者选腰部最粗处水平绕一周测腰围。

腰臀比也可以成为第三种测肥方法。腰臀比（WHR）是腰围和臀围的比值，臀围是环绕臀部最突出点测出的身体水平周径。腰臀比是早期研究中预测肥胖的指标，但腰围较腰臀比更简单可靠。白种人男性腰臀比> 1.0，女性腰臀比> 0.85，为腹部脂肪堆积。

♥ 行动八——打一针肺炎疫苗

✚ 花一点钱防 90% 的肺炎球菌肺炎
✚ 谁在肺炎危机中

肺炎是老年人最大的一个健康杀手。儿童要接受计划免疫的免疫疫苗保护，老人也应享受疫苗这一保护健康的天然屏障。人老了难免有这病那病，住院在所难免。可奇怪的是，许多人因为某些病住院却最后弄个肺炎出来，甚至死于肺炎球菌带来的脑膜炎、心内膜炎等疾病。老年人体质较弱，当免疫力下降，如感冒、劳累、慢性支气管炎、慢性心脏病、长期吸烟时，肺炎球菌便可乘虚而入。

全球每年有一百多万人死于肺炎球菌肺炎。在年龄超过 60 岁的肺炎患者中，病死率大约为 20%。在美国，每年有 50 万人次患肺炎球菌肺炎，总死亡率为 5%~10%。肺炎球菌还可导致脑膜炎、中耳炎、菌血症等严重疾病。其中菌血症是更为严重的全身感染，仅在美国，肺炎球菌每年造成 5 万人次感染菌血症；老年人及高危人群病死率高达 40%。全球每年有 5 万人死于脑膜炎，在美国每年大约发生肺炎球菌性脑膜炎者 3 千人次。

对付肺炎球菌有什么办法？多价肺炎球菌疫苗是一种用于肌肉或皮下注射的液体疫苗。该疫苗含有肺炎球菌 23 种荚膜型，覆盖 90% 肺炎球菌最常见类型，可用于预防肺炎球菌所致的肺炎、脑膜炎、中耳炎等疾病，对高危人群能显著降低其病死率。在健康成人中，免疫力通常在接种肺炎球菌疫苗 2 至 3 星期内产生，而抗体可持续至少 5 年。

肺炎球菌疫苗需要年年接种吗？一般不需要年年接种，接种一针，其诱导产生的抗体可长达 5 年以上。目前使用的美国进口的 23 价肺炎球菌多糖疫苗（纽莫法 ®），能预防 90% 以上的肺炎球菌疾病，价格 200 余元，至少保护 5 年，远远低于一旦感染肺炎后的医疗费用。

接种疫苗防病成本效益显著。根据美国的一份费用效益分析显示，对于大于 65 岁的人群，被接种的每个人可节省 8.27 美元。如 1993 年对 2 300 万未免疫的老年人接种肺炎球菌疫苗，对于整个社会的回报，获得了 78 000 年的健康生存时间，并节省 1.94 亿美元。

哪些人需要接种肺炎球菌疫苗？世界卫生组织建议接种对象：50 岁以上免疫功能正常的人；年龄 2 岁以上体弱的儿童；患有慢性心血管疾病、慢性肺部疾病（包括慢性阻塞性肺疾患）或糖尿病以及其他疾病导致抵抗力降低的人群。

你是否身处肺炎球菌感染的危机中？

请在下列属于您的情况旁边画"√"，您是否属于：

50 岁或以上的老年人　　2 岁以上的体弱儿童　　患有慢性疾病、癌症患者　　心脏病患者　　肺病患者　　肾病患者　糖尿病患者　　镰状细胞性贫血症患者　　患有肝硬化　已切除脾脏　何杰金氏病患者　　免疫系统失常　　慢性病患者或长期住院的病人　　有酗酒的习惯　艾滋病患者或感染了人类免疫缺陷病毒

如果您画了一个或一个以上的"√"，您就存在感染肺炎球菌的可能性。

♥ 行动九——服一粒钙片

✚ 各年龄人均需补钙
✚ 鲜为人知的缺钙后果

正常人体内的钙质总量为 1 200 克，其中 99% 存在于骨骼，1% 存在于血液及细胞外液。

钙在我们体内的细胞机能调整、神经传导、肌肉收缩、血液规律性运动和凝固方面起着重要的作用。

中国营养学会规定每日的推荐标准量为：儿童 800～1 200 毫克，少年 1 000～1 200 毫克，成人与老年人 800 毫克，孕哺妇 1 500 毫克。**我国居民每天钙平均摄入量不足 500 毫克，不足生理供给量的 50%。**

成年后的男女青年，尽管身高不再增长，但体内骨骼的密度仍不断地增加，至 35 岁左右才达到骨密度的最大值。40 岁以后的成年人，尤其是女性，骨钙开始丢失，至更年期骨钙丢失的速度加快，充足的钙供给可以延缓和推迟更年期骨质疏松的发生，**各年龄组的人均需充分补钙。**

缺钙，儿童就会出现夜惊、盗汗、不易入睡、厌食、偏食、阵发性腹痛、出牙迟、学步晚、抽搐、指节瘦小无力、胸骨疼痛、鸡胸、X 型或 O 型腿、腿肢弯曲等症状。孕妇缺钙会出现肌肉痉挛、腰腿酸痛、关节痛、手足麻木、妊娠高血压症、产后牙齿松动、乳汁分泌不足、产生黑斑及褐斑等症状。妇女缺钙会出现肌肉无力、缺乏弹性、皮肤缺少光泽、失眠、多梦等症状。中青年人缺钙皮肤易老化、腰腿酸痛、睡眠质量不高、多梦、记忆力明显减退、脱发明显、感冒不断、手足麻木、性功能低下、患糖尿病和高血压的机会增多。老年人缺钙易出现腰腿酸痛、手足麻木、抽筋、多梦、失眠、神经痛、骨质疏松、骨折、骨质增生、脱发、早掉牙等症状。

缺钙还有鲜为人知的后果。

免疫力下降：钙质在人体血液和软组织中起着协助神经传递信息的作用。当病毒侵入人体内时，它会帮助神经系统迅速、及时地传递信息，使细胞自动产生抗体抵御病毒，使人体免受侵害。如果钙质摄取不足，人体免疫功能下降，会导致某些疾病发生。

过敏症：血液和细胞中的钙质可以帮助人们预防过敏，而钙质不足，有可能使某些信息的传递发生失误，从而导致人体防御体系过于虚张声势，出现过度敏感反应，如气喘或过敏性皮炎等。

血管炎和胶原病：血液和细胞中钙质不足，还有可能使某些信息传递被延误，导致人体自我免疫功能的失灵或紊乱，如血管炎或胶原病等。

慢性风湿性关节炎：慢性风湿性关节炎的诱发原因很多，但共同之处在于人体免疫功能的下降，加之患者促进吸收钙质的某些激素的分泌功能减弱，更加影响免疫功能的恢复，从而引起恶性循环。

骨质疏松症：对钙质的长期摄取不足，将导致骨组织中的钙质无限制地向血液和细胞中释出，从而直接造成骨质中钙质含量不足，形成骨质疏松。骨质疏松容易酿成骨骼变形和骨折。特别是处于更年期的妇女，由于雌性激素分泌的急剧降低，一旦钙质摄取不足，骨组织中的钙质就会几乎不受阻挡地释放出来，以维护体内钙质分布比例平衡，这就极易形成骨质疏松症。

动脉硬化：中老年人由于生理机能的逐渐衰退，如果对钙质的摄取不足，会导致钙质从骨组织中大量释出，这一方面会造成骨质疏松，另一方面会使骨组织中的"坏钙质"(胆固醇等)大量释出并沉淀或附着在血管壁上，加重血管硬化程度，从而影响人体血液循环。

偏头痛：偏头痛又称血管性头痛，是由于头部某一部分的血管收缩造成血液循环不畅而引起的。科学证明，钙质有助于调节血管收缩和血液循环保持规律性运动。

糖尿病：糖尿病是由于人体胰岛素分泌不足而引起的代谢障碍疾病。充足的钙质有助于分泌胰岛素的 β 细胞的正常生成，从而促进胰岛素的正常分泌。因此钙质对于治疗糖尿病有一定的辅助作用。

肥胖症：由于饮食过度而造成的单纯性肥胖与钙质有关。因为体内血钙浓度过高时，甲状腺会自动分泌降钙素，起到抑制作用。同时这一激素也能够刺激人脑减少食欲，不致饮食过度。然而当钙质摄取不足时，降钙素的分泌也会相对减少，也就达不到抑制食欲的目的。

高血压：高血压与人们对食盐的过量摄取有关，但最近科学研究证明钙质有助于降低血压。虽然它降血压的效果是循序渐进的，但可以较放心地使用。因此，在注意减少盐分摄取的同时，应当充分补充钙质以预防和降低高血压。

思维迟钝：人类具有超过 140 亿之多的大脑神经细胞，它们主要是靠神经细胞上的突触来相互有机联络的，由此产生记忆、联想和思维。如果人体内钙质营养不足，将会导致细胞内外钙离子浓度的平衡发生改变，造成信息传递系统的迟钝和阻碍，从而对智力发育产生负面影响。

科学合理的补钙必须由医生跟踪指导。好钙的特点是：安全可靠，吸收率高，吸收容量大，对胃肠道无刺激，无需外加其他强化吸收剂，能够直接从细胞吸收。

♥ 行动十——服一片阿司匹林

＋使用最多的抗栓药
＋安全性保障
＋更有效的抗栓药

动脉粥样硬化可以发生在动脉系统的任何部位，如果这些斑块破裂，血小板聚集，就会导致血栓形成，发生急性血管事件，临床上表现急性心肌梗死、不稳定性心绞痛、脑梗死、急性下肢缺血(坏死)等，称为动脉粥样硬化血栓形成。没有血栓就没急性血管事件。

阿司匹林诞生有一百多年了，是研究和应用最广泛的抗血栓药物。对减少心脑血管疾病的发生（一级预防）和改善疾病发生后的预后或复发（二级预防）起到了不可估量的作用。

阿司匹林是抗血小板药物，每日口服 30～50 毫克，连续 7～10 天即可完全抑制血小板环氧化酶的活性，但要想迅速发挥作用还须加大首次服用的剂量，可使用 150～300 毫克的负荷剂量，如急性心肌梗死溶栓前和不稳定性心绞痛。

对于已经存在动脉粥样硬化病变的病人，每日使用阿司匹林 75～150 毫克治疗 3 年可降低脑卒中、心肌梗死和死亡的发生率约四分之一。阿司匹林对于已经发生了心脑血管事件的病人，如不稳定性心绞痛、心肌梗死、短暂脑缺血发作或脑卒中，降低心血管原因导致的死亡率达六分之一，降低非致命性心肌梗死和脑卒中的发生率三分之一。没有心脑血管疾病危险因素的健康人服用阿司匹林的预防作用有限。

对不良反应的考虑：阿司匹林的主要不良反应是出血和胃肠道反应，过敏少见，个别与哮喘发作有关。肠溶片仍存在对胃肠道的刺激作用。服用阿司匹林脑出血的发生率增加，总的发生率为 0.3%，但相对于阿司匹林挽救的病人数，这种严重不良反应的发生率相当低。阿司匹林引起的胃肠道出血与剂量有关。出血的发生与是否存在出血的危险因素有关，如既往的出血病史、活动性溃疡病、没有控制的高血压、有止血或者凝血功能障碍等，有这几种危险因素的人不宜用阿司匹林。

阿司匹林与高血压：高血压病人没有必要常规使用阿司匹林。在已经发生血管事件的病症如脑卒中、心肌梗死、不稳定性心绞痛、外周动脉疾病或者缺血性肾病时，应使用阿司匹林。如果高血压病人年龄超过50岁，同时存在明显的靶器官损害(如心肌肥厚、肾功能损害或者蛋白尿)或伴随糖尿病，应同时服用阿司匹林。

服药时刻：阿司匹林常规剂量规律用药能够完全抑制血小板环氧化酶活性，无论早上还是晚上服药效果是一样的。饭后服用可能减轻水溶片剂的胃肠道刺激，但肠溶片没有影响。

剂量：如果是急性血管事件，如不稳定性心绞痛、急性心肌梗死、缺血性脑卒中，而且既往没有使用阿司匹林的病人，首次阿司匹林的剂量应该是150～300毫克，水溶片吞服或者肠溶片嚼服，首次给药后则可以保持每日75～160毫克的剂量。一级预防每日75毫克就足够了。

男女差别：体外血小板聚集试验发现，有些女性对阿司匹林的反应较差，但大规模临床试验显示，有适应证女性的患者和男性一样获益。

手术问题：给正在服用阿司匹林的病人施行大手术，术中和术后出血可能增加。但在国外，冠状动脉搭桥手术术前是不停用阿司匹林的，这主要由于出血往往是可以处理的，可以挽救的，而血栓带来的危害往往是严重而不可挽救的。

用药期限：已经发生脑卒中或急性心肌梗死等血管事件的病人，应该终生使用阿司匹林，一级预防也应该无限期服用。存在一过性血栓栓塞危险的病人，如与手术相关的血栓栓塞，在危险因素解除后可以停用阿司匹林。多数情况下阿司匹林应该长期或者终生使用，实践证明，绝大多数人阿司匹林终生应用是安全的，可以耐受的。

阿司匹林抵抗：用阿司匹林的过程中发生血管事件可以认为是阿司匹林抵抗，血小板聚集的方法判断并不可靠。这是由于阿司匹林并不能完全消除其他因素导致的血小板聚集，从这个意义上来讲，尽管阿司匹林是个好药，但还远未理想。另外动脉粥样硬化斑块破裂导致血栓形成还取决于许多因素，如斑块的稳定程度，是否存在其他引起斑块破裂的因素（高血压、精神应激等），阿司匹林或者其他的抗栓药物并不能完全防止这些事件的发生。

更有效的抗栓药物：氯吡格雷（商品名波力维）是血小板 ADP 受体拮抗剂。在已经发生心脑血管或者外周动脉疾病的病人，氯吡格雷防止进一步发生心脑血管事件的效果优于阿司匹林，而且胃肠道反应少见，出血的发生率甚至低于阿司匹林，对白细胞和血小板也没有影响，从疗效与安全角度考虑，可以完全替代阿司匹林。在心电图 ST 段不抬高的急性冠状动脉综合征（不稳定性心绞痛和 ST 段不抬高的心肌梗死），无论是否进行经皮冠状动脉介入干预治疗，在应用阿司匹林和肝素（低分子肝素）的基础上加用氯吡格雷可以进一步明显减少心肌梗死和死亡的发生。第一次服用氯吡格雷的剂量为300 毫克，有利于药物快速发挥效应，之后每日剂量为75 毫克。

阿司匹林不能耐受或者阿司匹林过敏的病人，华法林也是一个替代品，但必须通过监测国际标准化比值(INR)来调节剂量。

阿司匹林的监测：常规应用阿司匹林一般不需要实验室监测。但用药前必须向医生仔细诉说有无血液系统疾病和出血病史，是否存在可能出血的病灶（如溃疡病、近期严重创伤和手术病史）。用药前还应当查血小板的数量。一旦发生出血或者发生了外伤，应及时到医院找有关专家诊治。

不需根据"血流变"或者"血黏度"检查决定是否应该用阿司匹林或者其他抗血栓药物治疗。

阿司匹林便宜、副作用少见、效果好，有适应证的病人如无禁忌证，应该常规应用。在抗栓治疗的同时，应同时处理其他与血管事件相关的危险因素，如高脂血症、高血压。没有任何证据显示一年两次输液能有效防治脑血管事件。

注："行动十"由北京大学人民医院心内科胡大一教授、许俊堂副教授提供。阿斯匹林、氯吡格雷、华法林均属处方药，应在医生指导下谨慎使用。